Elogios para
La batalla de cada mujer y su matrimonio

«¡Por fin una discusión franca y penetrante acerca de las perspectivas, expectativas y comportamientos que dañan las relaciones matrimoniales! Con la experiencia que tiene Shannon en integridad sexual y emocional, y la perspectiva masculina de Greg, *La batalla de cada mujer y su matrimonio* ofrece una guía práctica para volver a encender la intimidad y la pasión que desea toda mujer».

GINGER KOLBABA, editora ejecutiva de la revista *Marriage Partnership* y autora de *Surprised by Remarriage*

«Este libro arroja luz sobre las frecuentes y tácitas sensibilidades y problemas con los que luchan las mujeres. No solo está bien escrito, sino que libera y refresca con sus principios sólidos a fin de lograr superar las cosas que quieren impedirnos experimentar la plenitud de gozo que forma parte del plan global de Dios para nuestras vidas».

MICHELLE McKINNEY HAMMOND, autora de *In Search of the Proverbs 31 Man* y *The Unspoken Rules of Love*

«En la cultura permisiva actual, nos resulta peligrosamente fácil, incluso a las mujeres con más altos principios, dar lugar a pensamientos, actitudes y flirteos malsanos con hombres que no son nuestros esposos. En *La batalla de cada mujer y su matrimonio*, Shannon Ethridge traza una línea en la arena con valor y respeto. Es un libro indispensable para toda mujer que desee una verdadera intimidad e integridad sexual».

CONSTANCE RHODES, autora de *Life Inside the «Thin» Cage*

«Hay un mito muy común, casi victoriano, que dice que las mujeres en realidad no luchan con el pecado sexual. Ese mito hace que muchas mujeres sientan una doble vergüenza. La vergüenza de la lucha en la esfera sexual se agrava por la suposición de que pocas mujeres, si es que las hay, se enfrentan a la misma batalla. Con astucia e ingenio, Shannon Ethridge pone al descubierto la guerra y ofrece a las mujeres un camino para entrar en esta batalla con valor, esperanza y gracia. *La batalla de cada mujer y su matrimonio* ayudará tanto a hombres como a mujeres a comprender la belleza y la sensualidad gloriosas de la santidad. Es un libro que se necesita con urgencia».

DR. DAN B. ALLENDER, presidente de *Mars Hill Graduate School* y autor de *The Healing Path* y *To Be Told*

«Si te pareces a mí, deseas una conexión lo más profunda posible con tu esposo. Quieres una conexión de alma a alma que no la obstaculice nada capaz de dañarla. Y descubrirás que el libro de Shannon es inmensamente útil para lograrlo. *La batalla de cada mujer y su matrimonio* es el mejor recurso que conozco para aceptar el plan que Dios tiene en cuanto a la integridad sexual y emocional como mujer».

LESLIE PARROTT, autora de *When Bad Things Happen to Good Marriages*

«Muchas de las lectoras de *Mujeres malas de la Biblia* han confesado entre lágrimas sus luchas con pecados sexuales: la promiscuidad, el adulterio y la gratificación propia, entre ellos. Ya que no podemos esperar que las mujeres cristianas no enfrenten estas tentaciones, es un alivio tener un recurso sólido como este para recomendar. El enfoque directo, imparcial y detallado de Shannon Ethridge puede ayudar a las mujeres a ponerse al día de la mejor manera posible, a través de una relación íntima con el Amante de sus almas».

LIZ CURTIS HIGGS, autora de los éxitos de librería *Mujeres malas de la Biblia, Más mujeres malas de la Biblia* y *María la Loca: Una mujer mala de Magdala*

Shannon y Greg Ethridge

introducción de Stephen Arterburn
y Fred Stoeker

la batalla
de cada mujer
y su
matrimonio

**Aviva el gozo y
la pasión que**
ambos desean

EDITORIAL
UNILIT

Sepa

© Publicado por Editorial Unilit
Miami, Fl. 33172
Derechos reservados

© 2009 Editorial Unilit (Spanish translation)
Primera edición 2009

© 2006 por Shannon Ethridge
Originalmente publicado en inglés con el título:
Every Woman's Marriage por Shannon and Greg Ethridge.
Publicado por WaterBrook Press, un sello de
The Crown Publishing Group, una división de Random House, Inc.
12265 Oracle Boulevard, Suite 200
Colorado Springs, Colorado 80921 USA
Publicado en español con permiso de WaterBrook Press,
un sello de The Crown Publishing Group, una división de Random House, Inc.
(This translation published by arrangement with WaterBrook Press, an imprint of
The Crown Publishing Group, a divison of Random House, Inc.)

Todos los derechos de publicación con excepción del idioma inglés son contratados
exclusivamente por GLINT, P. O. Box 4060, Ontario, California 91761-1003, USA.
(All non-English rights are contracted through: Gospel Literature International,
PO Box 4060, Ontario, CA 91761-1003, USA.)

Fotografía de la portada: Image © 2009 Yuri Arcurs
Ilustraciones de interior: Image © 2009 Larry Almonte; Image © 2009 Broukoid.
Used under license from Shutterstock.com

Los nombres y detalles en algunas de las historias y anécdotas fueron cambiados para
proteger la identidad de los personajes.

Le agradecemos a HarperCollins Publishers por permitirnos usar extractos del libro
The Proper Care and Feeding of Husbands [Cómo cuidar y tener contento al esposo],
© 2004 por la Dra. Laura Schlessinger.

A menos que se indique lo contrario, las citas bíblicas se tomaron de la Nueva Versión
Internacional.
© 1999 por la Sociedad Bíblica Internacional.
Las citas bíblicas señaladas con LBD se tomaron de la Santa Biblia, *La Biblia al Día.* © 1979
por la Sociedad Bíblica Internacional.
Las citas bíblicas señaladas con LBLA se tomaron de la Santa Biblia, *La Biblia de Las Américas.*
© 1986 por The Lockman Foundation.
Usadas con permiso.

Producto 496830
ISBN 0-7899-1575-8
ISBN 978-0-7899-1575-7
Impreso en Colombia
Printed in Colombia

Categoría: Vida cristiana/Relaciones/Amor y matrimonio
Category: Christian Living/Relationships/Love & Marriage

Este libro está dedicado a nuestros padres:

James y Joan Phillips y Jay y Wanda Ethridge,

que en conjunto han estado casados casi cien

años. Qué afortunados hemos sido por tener

sus ejemplos de amor incondicional y de

compromiso a seguir.

contenido

Quinta parte: Cómo le arrojas leña al fuego

reconocimientos

Lisa y Randy Cooper, Charles y Martha Squibb, Bob y Kathleen Gray, Linda y Jarratt Major: han sido los amigos y mentores que más nos han alentado a lo largo del camino y han sido un ejemplo de lo que es el matrimonio bíblico. Gracias por su ejemplo tan inspirador del genuino amor de Dios y del amor mutuo.

Dr. Tom Haygood: gracias por tener la misma pasión que tenemos por la salud del matrimonio y por ayudarnos a construir un matrimonio mucho más saludable. Que su ministerio y su profesión como terapeuta sigan llevando mucho fruto para Dios.

Julianne Davis: estamos agradecidos por las tantas veces que te has puesto al lado de Shannon en muchos momentos clave de nuestras vidas. Eres una bendición.

Karen Schulze, Betsy Smith, Dr. James McDaniel y pastor Bob Smith: gracias por las primeras revisiones de partes de este manuscrito o de su totalidad. Su crítica constructiva y su aliento nos infundieron mucha confianza para seguir adelante.

A los esposos y esposas de la iglesia *Garden Valley Bible*, de *Mercy Ships International*, y de los ministerios *Teen Mania*, así como a los visitantes de la página Web *Shannon Ethridge Ministries* (www.shannonethridge.com): gracias por contar sus testimonios que ilustran de manera tan vívida los problemas que enfrenta la mayoría de las parejas casadas. Este libro les pertenece tanto como a nosotros.

Becky y Dan DeGroat, Jill y Kerry Peterson, Shelly y Mickey Lewis: gracias por hacer todo lo necesario para que fuera posible la conferencia *Taking Your Marriage Over the Top* [Lleva tu matrimonio a la cima]. Fue una verdadera experiencia de aprendizaje para todos y proporcionó mucho material para este manuscrito.

A nuestros amigos y colaboradores de *WaterBrook Press*, de *Muntsinger y McClure Public Relations* y de *Pure Publicity*: ni remotamente hubiéramos podido alcanzar a tantas parejas si no hubiéramos estado asociados con ustedes. Gracias por las cosas increíbles que hacen para poner en las manos de la gente de todo el mundo los libros *La batalla de cada hombre* y *La batalla de cada mujer*. El compromiso que tienen con la excelencia glorifica en verdad a Dios.

Liz Heaney: no podemos imaginar lo que sería escribir un libro sin tu asistencia editorial increíblemente perspicaz. Gracias por hablar la verdad con tanto amor. ¡Tú y Casey son de lo mejor!

A todos los amigos que nos mantuvieron en oración mientras escribíamos este libro: les damos gracias por golpear las puertas del cielo en nuestro favor y por interceder por las parejas casadas de todas partes.

Por último, pero lo más importante, deseamos reconocer que tú, Jesús, eres el cemento que nos mantiene juntos. Gracias por enseñarnos, mediante el ejemplo, a cómo amarnos sin límites.

introducción

De Fred Stoeker

En un matrimonio hay mucho en juego, ¿no es así? Cuando te detienes a pensarlo, te sorprendes. Tal vez, esta sea la verdad que ha impedido que tires tu matrimonio al cubo de la basura llamado «Tiempo perdido» y hayas emprendido una nueva búsqueda para mejorar la relación. En ocasiones, el corazón de un cónyuge puede parecer duro.

Sin embargo, me pregunto cuántas veces algunas parejas huyen corriendo del matrimonio sin darse cuenta de lo duro que son sus propios corazones. A mí me resulta difícil mirarme al espejo y descubrir un corazón duro. Cuando Brenda me dijo hace años que mi corazón estaba endurecido, no pude verlo hasta que me senté en la cocina, me miró directo a los ojos y tiró abajo mi mundo con estas palabras: «No sé cómo decírtelo, así que te lo diré sin rodeos. Lo que siento por ti ha muerto».

Su declaración me tomó por sorpresa. Era la dulce muchacha que Dios mismo había escogido para mí. Era mi esposa, y todos mis anhelos y sueños estaban ligados a ella. Hubiera hecho cualquier cosa en su favor. ¿Cómo era posible que sintiera algo así?

Luego de su declaración contundente, le hice algunas preguntas.

—Cariño, ¿cómo es esto? ¿Todavía me amas?

—Sí —dijo—. Todavía te amo.

—Si el amor no se ha ido, ¿cómo es posible que lo que sientes por mí haya muerto?

Brenda no pudo explicarlo y esto me dejó confundido. Durante la siguiente semana, venían a mí oleadas de pánico que me arrasaban cuando me encontraba desprevenido. Por último un día, al entrar en la cocina para buscar un vaso de leche, las lágrimas se me agolparon en los ojos otra vez. Luego de servirme un vaso, me quedé largo rato sin hacer otra cosa más que mirar al refrigerador con los ojos llenos de lágrimas. Luego, señalé al cielo mientras declaraba: «Dios, aunque me las vea negras, no me divorciaré».

Aquel fue el día en que suavicé mi corazón, el día en que supe que era hora de pagar un precio real, uno mucho más profundo que el que jamás hubiera considerado pagar. Dios dijo en Efesios 5 que debo entregar mi vida por mi matrimonio, tal como Él entregó su vida por su Esposa, la Iglesia. Ni siquiera había comenzado a acercarme a semejante sacrificio.

Elevé esa declaración desesperada a Dios hace veinte años. Hace poco, un diácono me dijo: «Fred, solo conozco a dos parejas que disfrutan de un nivel de intimidad que les permite hablar entre ellos absolutamente acerca de todo, incluso de sus pecados, sin temor y con completo amor. Brenda y tú son una de ellas».

¿Cómo pasamos de esa condición a la actual? *La batalla de cada hombre y su matrimonio* cuenta la historia de cómo en un tiempo pensaba que el liderazgo matrimonial significaba que yo era el que nunca debía cambiar, hasta que aprendí que para ser líder necesito realizar más cambios en mí de lo que soñara jamás. Se trata de tener el honor de ser el que da el ejemplo, el más rápido de la casa para descubrir los defectos en su corazón y cambiarlos antes de ofender a su esposa hasta lo más íntimo de su alma.

He visto a hombres que leyeron *La batalla de cada hombre y su matrimonio* y dieron vuelta sus matrimonios al poner en su lugar los principios. Sin embargo, también he oído a otros decir: «Fred, estoy de acuerdo con su libro y creo que tengo que cambiar algunas cosas en la manera en que trato a la gente que me rodea, en especial a mi esposa. Debo admitir que ella me señaló algunas de estas cosas antes de que usted lo hiciera, pero no la escuché.

»Estoy listo para escuchar y espero que mi esposa también lo esté. Yo también le he dicho algunas cosas que ella no escucha. ¿Conoce algún libro que me pueda recomendar que hable acerca de la otra parte del problema?».

Sí, y es el que tienes en las manos. Si algo hemos aprendido con Brenda a lo largo del camino, es que en el matrimonio hay que cambiar. Hay que convertirse en los cónyuges que Dios quiere que seamos. Este libro nos da la oportunidad de escuchar, una vez más, el mandato del Señor y de cambiar.

Desde hace mucho tiempo, esperaba el día en que se publicara *La batalla de cada mujer y su matrimonio*, y que Shannon Ethridge fuera la autora me hace muy feliz. Desde el primer día que la conocí, me impresionó la pasión que tiene por la pureza sexual y por la unidad en el matrimonio. Tiene un nivel de claridad en cuanto a la visión personal de Dios para su vida como pocas personas.

Entonces, en cuanto conocí a su esposo, Greg, y desayunamos juntos los tres, comprendí de verdad lo que Dios había hecho cuando la escogió a ella para escribir la serie de libros de *La batalla de cada mujer*. Luego de verlos juntos y de oírla a ella hablar en público y en privado acerca de su amor por Greg y por todo lo que significa el matrimonio, supe que *La batalla de cada mujer y su matrimonio* estaría en buenas manos. No veo la hora de leer los correos electrónicos de hombres y mujeres cuyas vidas hayan cambiado como resultado del excelente trabajo que Shannon ha hecho aquí.

De Stephen Arterburn

Si pasaras tiempo con Fred y Brenda, verías que el amor que se tienen es el verdadero pacto. La unión que tienen es poco común y hermosa, y nos inspira a muchos de nosotros a darle una segunda mirada al matrimonio, a fijarnos cómo funciona bien y cómo no.

En mi propia vida, he visto cómo las cosas no marchan bien y no ha sido agradable. Es probable que muchos de ustedes también tengan esa experiencia triste y dolorosa. Tal vez sea porque estén casadas con un hombre que no está dispuesto a ver al matrimonio desde ningún otro punto de vista que no sea el que ha creado él mismo, o con un hombre que recibió su filosofía del matrimonio de algún familiar o clérigo sin conocimientos.

La historia del difícil viaje matrimonial de Fred y de Brenda (como se cuenta en *La batalla de cada hombre y su matrimonio*) fue una obra maestra acerca del propósito original de Dios para el matrimonio. Fue radical y se dirigió en contra de lo que enseñaban muchos educadores bíblicos. Fred señaló el daño que a menudo le causan los esposos al matrimonio con las cosas que hacen, y después habló acerca de lo que los hombres pueden hacer para revertir ese daño.

Luego de que se publicara el libro, entraron las cartas y los correos electrónicos que decían que este libro fuera de lo habitual abrió los ojos de los ciegos y los oídos de los sordos. Se produjeron milagros, y nos estremecimos al oír de vidas cambiadas y de matrimonios sanados. Las mujeres nos elogiaron por introducir en sus matrimonios los conceptos de la sumisión mutua y de la intimidad rica y amorosa. Es asombroso lo que puede suceder cuando dos personas se miran a sí mismas con buena voluntad y comienzan a corregir sus defectos. Los hombres necesitábamos hacerlo.

Ahora es tiempo de que las mujeres tengan un recurso para examinarse y para examinar su papel en el matrimonio. *La batalla de cada mujer y su matrimonio* es ese recurso. Shannon Ethridge estuvo a punto de destruir su matrimonio, pero encontró una gran esperanza y sanidad al hacerse cargo de sus propios problemas en lugar de señalar con el dedo a su esposo, Greg. La admiro por su fuerza y sabiduría bíblica. El matrimonio que hoy tienen ella y Greg es un testimonio de las verdades que se encuentran en este gran libro.

Mi oración es que abras este libro sin ideas preconcebidas, no en busca de partes que corroboren que estás haciendo lo debido, sino en busca de esferas que necesiten tratamiento en tu corazón y en tu hogar. Si lo haces, tu matrimonio puede ser muy diferente y mucho mejor, el comienzo de una nueva manera de vivir para ambos.

Sin embargo, permíteme terminar con dos advertencias. En primer lugar, no todos los matrimonios con problemas disfrutan de un final feliz como el de los Stoeker ni el de los Ethridge. Aunque hagas todo lo que se dice en las páginas de este libro, no tienes garantía de que sane tu matrimonio. No la tienes, porque para sanar a un matrimonio hacen falta dos, y si los dos no trabajan juntos, no podrás encontrar sanidad, crecimiento y una intimidad más profunda. Aun así, puedes estar segura de que sucederán un par de cosas. Cambiarás la dinámica de tu matrimonio y cambiarás tu relación con Dios. No puedes implementar estos principios y quedar igual que antes. La diferencia puede conducir tu matrimonio a la sanidad.

Mi segunda advertencia es la siguiente: no pienses que el divorcio arregla mucho las cosas. A partir de mi experiencia personal, puedo afirmar que no lo hace. Por lo tanto, te dejo con un desafío. Lee este libro con gran expectativa. Luego, ten paciencia y ve lo que puede hacer Dios.

Por último, gracias por permitir que Shannon y Greg te guíen a mirarte a ti y a tu matrimonio con nuevos ojos. Espero que te guste lo que veas.

cuando los corazones se enfrían

esposas desesperadas, esposos desesperados

«¡No satisfaces mis necesidades emocionales!»

Luego de siete años de matrimonio, pensaba de verdad en dejar a Greg y a mis dos hijitos para ir en busca del «amor» al que creía tener derecho, pero que me parecía que no recibía en nuestra relación. No tenía idea de adónde iría ni de cómo me las arreglaría por mi cuenta, pero no estaba segura de poder sobrevivir dentro de un matrimonio sin vida. Sentía que no era nada más que una criada, cocinera, niñera y un ocasional desahogo para la tensión sexual, trabajos por los que recibía una mala paga.

No podía imaginar cómo se había enfriado tanto mi corazón hacia mi esposo. Nos conocimos el 21 de abril de 1989, cuando visité el grupo de solteros de una iglesia para pasar una noche de juegos. Aunque no creo en el amor a primera vista, de seguro que Greg atrapó mi atención esa noche al sobresalir por encima de los demás muchachos (literalmente, ya que mide un metro noventa). Cada vez que debíamos formar parejas para otro juego, tenía la esperanza de que Greg y yo termináramos juntos, pero no tuve esa suerte. Sin embargo, comenzamos a entrar en calor entre nosotros a medida que nos íbamos conociendo en los meses siguientes, y ese verano empezamos a salir como novios. Todas las mañanas caminaba por el vecindario mientras oraba: *Señor, quiero casarme con el que tú quieras, pero si buscas mi opinión, ¡me gustaría que fuera Greg!*

Pronto me sentí ciento diez por ciento segura de que Greg era el hombre con el que deseaba pasar el resto de mi vida. Cuando nos acercábamos al día de Acción de Gracias, estaba desesperada por escucharlo lanzar la pregunta, y por fin lo hizo justo antes de Navidad. Dijo: «Tú planea la boda y yo planeo la luna de miel». Me pareció grandioso.

Nos casamos el 21 de abril de 1990, justo un año después de conocernos. Hasta mi padre sabía que Greg era, sin duda, la persona para mí. Mientras caminábamos hacia el altar, me dijo: «Ni se te ocurra cambiar de parecer, ¡o tendré que ponerte un revólver en la espalda!». El pensamiento de cambiar de parecer nunca me pasó por la mente. Esto era demasiado bueno para ser verdad y no iba a echarlo a perder.

Sin embargo, antes de que terminara la luna de miel, los sentimientos de descontento mostraron sus horribles cabezas. Greg había planeado un viaje de cinco días a *Walt Disney World*, seguido por un fin de semana en Clearwater Beach, Florida. La primera mañana que desperté en Orlando, estaba hecha polvo debido a todos los festejos de la boda y del viaje. Lo único que quería era bajar las persianas, subir las colchas y disfrutar de algunas horas más de sueño. Sin embargo, me desperté cuando Greg se sentó en el borde de la cama, duchado, afeitado, vestido y listo para salir a las siete de la mañana. «¡Vamos! ¡Levántate! ¡Vayamos a desayunar con Mickey!», dijo con un tono convincente.

Cedí y me arrastré hacia la ducha a esa hora infame de la mañana. Entonces, después de dos horas de seguir las zancadas de Greg que trotaban por todo *Epcot Center* de un entretenimiento al otro, con mis piernas regordetas al galope para seguirlo, lo amenacé con regresar sola a la habitación del hotel. Trató de bajar la marcha mientras reprimía su entusiasmo y yo traté de calmarme mientras contenía las ganas de quejarme en cuanto a los lugares que eligió para la luna de miel. Aunque fue divertido y nos quedaron algunos recuerdos fabulosos, la idea que tenía de una luna de miel romántica y relajada no era la de correr a gran velocidad por todo el mundo de Walt Disney. Toda la semana esperé con ansias que llegara el momento de estar acostada en las playas de Clearwater y de no hacer otra cosa más que holgazanear juntos al sol como marido y mujer.

Sin embargo, ese fin de semana no disfrutaríamos del sol. Llegamos a Clearwater Beach en medio de una tormenta de viento y de un frente frío que hizo bajar la temperatura por debajo de los diez grados. Como pensaba que no pasaríamos mucho tiempo adentro, Greg reservó una pequeña habitación cuadrada, pero no podíamos salir mucho ya que solo llevamos ropa adecuada para el calor. Lo que más hicimos fue ver películas y comer sobras de pizza. La atmósfera (o la falta de ella), el agotamiento y la desilusión llegaron a superarme. No recuerdo qué dijimos, solo cómo lo dijimos. Greg y yo tuvimos nuestra primera pelea seria antes de regresar de la luna de miel. No podía creer que no se hubiera fijado en el pronóstico del tiempo antes de ir y que ni siquiera me hubiera consultado con respecto a cuál era mi idea de una luna de miel. Greg, por otra parte, no podía creer que yo fuera tan insensible como para enojarme con él, debido a que solo quería sorprenderme y deleitarme.

Por supuesto, yo no iba a permitir que una pequeña discusión arruinara el matrimonio. Greg era un cristiano comprometido y líder del grupo de jóvenes, lo que me inspiró a comenzar a trabajar también entre los jóvenes. Era divertido y aventurero, y me llevó a varios viajes grupales en los que íbamos a esquiar, a hacer excursionismo con mochila y submarinismo. Era inteligente y tenía estabilidad financiera, era graduado de la Universidad Metodista del Sur y contador público. Era muy relajado y tenía una reputación de ser tan agradable que nadie se enojaba con él. Es decir, nadie excepto yo.

Después de siete años y de dos hijos, molestaba de continuo a Greg por no iniciar más el romance y por ser demasiado tranquilo. Tenía una larga lista de quejas: Nunca me llevaba a ningún lugar romántico, ni se ofrecía a llevarme a cenar. No enviaba tarjetas, ni traía flores. Estaba cansada de tener que lanzar indirectas para que se satisficieran mis necesidades emocionales, y me parecía que no valía si a él no se le ocurría cómo hacerlo por su cuenta. Estaba harta y cansada de andar siempre recogiendo juguetes, sonándoles las narices y limpiándoles los traseros a los niños, limpiando las galletitas y los cereales de los asientos del coche, con la sensación de que la vida debía tener algo más.

Cada día que pasaba, me hundía más en la depresión. Al volver la vista atrás, me doy cuenta de que mi infelicidad no tenía que ver con lo que mi esposo hacía o no; más bien se trataba de cómo me sentía conmigo misma. Necesitaba que Greg me diera su aprobación, me hiciera sentir hermosa y me convenciera de que era deseable, porque no sabía cómo sentir ninguna de estas cosas por mi cuenta. Sin embargo, en ese tiempo estaba segura de que él tenía la culpa.

No soy ni la primera ni la única esposa que sienta esto. Es más, sé de muchas mujeres que sienten una profunda insatisfacción con sus esposos y sus matrimonios.

Historias de descontento

Hace catorce años que Ramona está casada. En algún momento, pensó que se había casado con el Sr. Adecuado, pero los sentimientos de temor, amargura y rechazo han salido a la superficie mientras ella y su esposo luchan por entenderse. Él casi nunca está en casa y la deja sola la mayor parte del tiempo para que críe a cuatro niños. Han tenido muy poco romance y muy poco tiempo el uno para el otro. A él lo consume su trabajo y su estatus financiero, y a ella la consumen los hijos y el trabajo que, según admite, es un verdadero desahogo en el que otros satisfacen sus necesidades emocionales. Las obligaciones de la iglesia, los deportes y las actividades extracurriculares de los niños también le quitan una inmensa cantidad de tiempo y energía. Ramona se siente abrumada por la falta de gozo y ardor en su relación, y nos dice:

> Parece que mi esposo no puede expresar cuánto significo para él y dice que se debe a la manera en que lo criaron y a que a los hombres les cuestan estas cosas. Me he sentido sola, engañada y vacía, y cuando otros hombres comienzan a halagarme, siento que muerdo el anzuelo, la línea y el plomo. He sido culpable de tener aventuras emocionales, pero siento que Dios quiere que sea fuerte y que permanezca en este matrimonio. He tratado de reconquistar a mi esposo y de cautivarlo, pero siempre parece que vivimos en mundos apartes. Estoy cansada

de tratar de ser una súper mamá, una esposa y la líder espiritual en esta familia. ¿Cuándo llegará el momento en que él entre en acción y tome las riendas?

Por supuesto, la desilusión puede instalarse aun antes de que te sientas abrumada por la crianza de los hijos. Luego de tan solo un año de matrimonio, no cabe duda de que la realidad de Claire no está a la altura de sus expectativas. Se lamenta:

> Casi siempre estamos peleando o no hablamos demasiado. La palabra *divorcio* no se encuentra en nuestro vocabulario, pero a menudo pienso en cómo sería mi vida después de la muerte de mi esposo. Tengo una lista mental de los hombres con los que saldría. Es bastante larga. Todos han satisfecho distintas necesidades en diferentes momentos. Luego, pienso en lo maravilloso que sería ser soltera otra vez. Estaría mucho mejor sin su deuda con la universidad y sus calcetines sucios. Aun así, me casé con él por alguna razón. ¿Cuál era?

Es irónico, pero Claire también recuerda que era infeliz como mujer soltera y que pensaba que casándose resolvería todos sus problemas. Como lo ilustra su situación, lo único que logras cuando te libras de tu condición de soltera es intercambiar un conjunto de problemas por otro más complejo.

Algunas mujeres se aferran a la esperanza de que su infelicidad desaparecerá con el tiempo y que, de alguna manera, «mejorará» la vida. Como atestigua Helen, esta esperanza de encontrar por el camino una relación más satisfactoria, casi siempre se hace añicos:

> Parece que cada fase de nuestro matrimonio trae una nueva esperanza de que las cosas se arreglarán al tomar el siguiente giro. Seremos más felices cuando podamos comprar una casa... cuando tengamos hijos... cuando los hijos dejen los pañales... cuando mi esposo obtenga, por fin, ese ascenso que me permitirá quedarme en casa para ser solo esposa y madre... cuando nuestros hijos se marchen

a la universidad... cuando ya no tengamos que pagar la universidad... cuando mi esposo y yo nos jubilemos. Casi todos los días, durante los últimos veinte años, he esperado un mañana más brillante, y para ser sincera, me pregunto si alguna vez tendremos el matrimonio que he anhelado siempre.

Algunas mujeres se sienten tan infelices, que consideran la posibilidad de apretar el botón eyector para marcharse y encontrar otro hombre. Tal era el caso de esta mujer, que firmó la carta que apareció en la columna del consultorio sentimental «Una relación infernal»:

> Después de tres años [de matrimonio], me siento espantosamente infeliz. Ya no estoy enamorada de mi esposo, aunque sí me preocupo por él. Mi hijo se siente loco de alegría aquí en los suburbios, con una familia compuesta por padre y madre, y con trece años, estaría muy vulnerable a los problemas emocionales si nos divorciáramos [...]
>
> ¿Debo quedarme con mi esposo que es mi amigo, pero no mi compañero del alma, hasta que mi hijo esté en la universidad (¡cinco años más!), aunque esto implique que fantasee con otro hombre mientras tenemos relaciones sexuales? ¿O debería irme con la esperanza de encontrar un hombre que esté disponible para amar?[1]

Debo preguntarme qué papel ha representado esta mujer en la socavación de su propia felicidad durante los tres años que lleva de casada. Si encontrara otro hombre «disponible para amar», lo más probable es que descubra que existe otro común denominador en todas sus relaciones: ella. En tanto el común denominador sea la infelicidad consigo misma, se sentirá infeliz en cualquier ecuación relacional.

El error que cometemos

Seamos realistas. Cuando nos ponemos ese anillo en el dedo, no sucede nada mágico. Si no somos felices antes de casarnos, lo más probable es que volvamos a no ser felices poco después de la luna de miel. El matrimonio no nos hace sentir mejor con respecto a nosotras mismas ni resuelve nuestros problemas a largo plazo. Ningún esposo puede ser el Príncipe Azul que nos rescate de todos nuestros problemas e inseguridades. En algún momento, debemos tomar las riendas y emprender la tarea de resolver nuestros problemas, remediar las inseguridades y estar felices con nosotras mismas antes de que podamos ser felices de verdad en el matrimonio.

Sin embargo, si no reconocemos la necesidad de ocuparnos de nuestros problemas, creemos que *nuestros esposos* deben tener la culpa de los problemas de la relación. Por error, podemos suponer que nuestra vida podría ser mucho mejor si tuviéramos un hombre diferente para amar, y es probable que no nos detengamos a considerar que nosotras podemos tener una parte de la responsabilidad en el descontento que sentimos.

Lo cierto es que ningún matrimonio está exento de desilusión. Hasta la relación más brillante tiene sus días oscuros que nublan la historia en común de una pareja, lloviendo en su desfile de «tenemos un matrimonio perfecto». Por fuera, quizá parezca que una esposa tiene el matrimonio ideal, pero muchas veces el paisaje interior de su corazón revela una profunda desilusión, enojo, amargura y arrepentimiento.

Lo mismo sucede con muchos esposos. ¿No te parece que este podría ser tu caso? Tal vez te lleves una sorpresa. Por cierto, yo me la llevé. Si cualquiera me hubiera preguntado durante los primeros siete años de matrimonio si Greg se sentía satisfecho, no hubiera pestañeado. «¡Por supuesto!», hubiera sido la respuesta que me saliera de la boca y la que creía con todo mi corazón. Sin embargo, un día recibí una advertencia.

Mi propio despertar brusco

Es probable que fuera la enésima vez que teníamos la misma discusión. A mí me parecía que Greg no hacía ningún esfuerzo por satisfacer mis necesidades emocionales... una vez más. Hacía días que no teníamos una conversación de verdad, semanas que no teníamos relaciones sexuales y habían pasado meses desde la última vez que me había llevado a alguna parte para pasar juntos un tiempo de calidad. En lugar de preguntarle con amor: «¿Lo que sientes por mí se está enfriando por algo que he hecho mal?», me avergüenza decir que volví a la misma vieja acusación: «¡Eres demasiado *pasivo*!» y, con enojo, lo culpé por la falta de pasión en nuestro trato. «¿Por qué no me buscas más? ¿Alguna vez se te ocurrió levantar el teléfono y preguntarme si quiero salir a cenar? ¿Alguna vez se te ocurrió traerme flores, o decirme que salgamos a caminar juntos, o cualquier cosa que me muestre que todavía te importo?»

Acostada en la cama durante lo que pareció media hora, a la espera de una respuesta a mi aluvión de preguntas exigentes, me puse cada vez más furiosa por lo que me parecía una falla de carácter importante. Por fin, eché hacia atrás las colchas y exclamé en forma dramática: «¡Estoy tan harta de tu pasividad, que no puedo dormir en la misma cama contigo esta noche!».

Nuestros hijos se habían quedado a pasar la noche con sus abuelos, así que, dando traspiés, me fui a la habitación de mi hija con mis mantas a la zaga, pero cuando llegué y encendí la luz, descubrí que la cama no tenía sábanas. Mientras bajaba por las escaleras hacia el frío sótano, para rescatar sus sábanas de la secadora, estaba decidida a enviarle a Greg el mensaje fuerte y claro de que su falta de atención a mis necesidades emocionales ya no era más aceptable para mí. Cuando llegué al sótano, las sábanas seguían mojadas en la lavadora. Ese día, más temprano, le había pedido a Greg que pasara la ropa a la secadora, y él olvidó hacerlo. Ahora sí que estaba enojada.

Revolví un armario en busca de mi saco de dormir, y cuando regresé al cuarto de Erin, encontré a Greg esperándome allí. Me dijo: «Por favor, ¿puedes dejar esto, Shannon? Solo regresa a la cama y hablemos. ¡Dormir separados no resolverá nada!».

En ese momento, tuve que elegir. Podía suavizar mi corazón, tragarme el orgullo y regresar a nuestro dormitorio como una muchacha grande, o podía morir en esta montaña, en el desesperado intento de probar lo firme de mis sentimientos con respecto a este asunto. Elegí permanecer firme en lo alto de la montaña. Puse el dedo en la cara de un hombre que es casi medio metro más alto que yo y que pesa cerca de cuarenta y cinco kilos más y declaré: «¡No seguiré en un matrimonio sin vida! Cada vez que hemos tenido un problema en la relación, siempre he ido a buscar sola el consejo, pero esta vez el problema es *tuyo*, así que sugiero que *tú* te ocupes de él». Me deslicé dentro de mi saco de dormir sollozando, y Greg se retiró a nuestro dormitorio derrotado.

Dos veces durante la noche oí que se levantaba y caminaba en la habitación. Me desperté con la esperanza de que se deslizaría en la cama junto a mí, me pediría disculpas por ser tan descuidado, y me abrazaría durante el resto de la noche, pero no tuve esa suerte. Las dos veces, volví a dormirme sola.

A la mañana siguiente, no podía creer que me hubiera comportado como semejante bruja malvada... ¡como si con *gritarle* fuera a lograr que se esforzara por mostrarme cuánto me amaba! Al final, me tragué el orgullo y regresé de manera sigilosa a nuestro dormitorio, y me sorprendí al encontrar a Greg acostado sobre una almohada mojada, con la cara roja y una mirada de miedo sus ojos enrojecidos. Esto es lo que Greg dice acerca de la noche que pasó:

> Shannon se fue a la cama alrededor de la medianoche y yo continué pensando en todas las cosas que hubiera deseado hacer o decir en los últimos meses para mostrarle cuánto la amo. Aunque sentía que mis energías estaban agotadas, no pude dormir. No dejaba de pensar: *Sé lo que le gusta y cómo hacerla sentir especial, ¿entonces por qué no me acuerdo de hacer esas cosas? ¿Por qué estoy tan motivado en el trabajo y me esfuerzo por agradar a otra gente, pero no puedo reconocer cuándo necesita atención mi esposa?* Me sentí como un fracaso total como esposo.
>
> A eso de las tres de la mañana, comencé a pensar en cuánto más feliz sería Shannon, quizá, si yo desapareciera por completo del cuadro. Me dije que si alguna vez me sucedía algo, estaría mucho mejor con el dinero del seguro y la oportunidad de tener un matrimonio más feliz con otro, en lugar de estar atascada en este «matrimonio sin vida», como lo llamaba tantas veces.
>
> A eso de las cuatro de la madrugada, entré en un estado de nerviosismo tal que comencé a preguntarme si ella sentiría lo mismo, que estaría mucho mejor sin mí.

Aunque ahora me parezca tonto, ya que nunca ha sido una persona violenta en el aspecto físico, hasta me cruzaron pensamientos en los que Shannon trataba de librarse de mí. Imaginé que tomaba un cuchillo de carnicero de la cocina y entraba en la habitación mientras yo dormía. El pensamiento me asustó tanto que me levanté dos veces en medio de la noche para ver si ella había salido de su cama y si, tal vez, se dirigía hacia la cocina.

A eso de las cinco de la madrugada, me di cuenta de que tales pensamientos eran absurdos y mi temor se convirtió en depresión. No solo no vivía de acuerdo con las expectativas de Shannon, sino que me parecía que estaba desilusionando a todo el mundo. Trabajaba largas horas y lograba muy poco en la oficina. Cuanto más tiempo pasaba en el trabajo, menos tiempo tenía para mis hijos. Estábamos sepultados bajo una deuda y las cuentas seguían apilándose. Parecía que la vida me estaba derrotando de muchas maneras, y tenía la sensación de que no tenía la fuerza para seguir levantándome una y otra vez. *Tal vez, debería ponerme el cuchillo de carnicero en el vientre yo mismo*, pensé. Por fortuna, Shannon se deslizó en la cama junto a mí poco después, y junté el valor para decirle lo que había estado pensando.

Cuando Greg me contó cómo fue su noche, no pude creer lo que oía. Una pequeña parte de mí deseaba enojarse otra vez ante lo absurdo de la idea de que pudiera provocarle daño físico alguna vez. Sin embargo, una parte mayor se sentía culpable al darme cuenta: *Shannon, este es el efecto que tienen tu enojo y tu desilusión sobre Greg. Lo estás matando con tu miseria. Esto no es problema suyo, es tú problema. Si deseas que alguna vez satisfaga tus necesidades emocionales, debes aprender a inspirar su afecto, en lugar de exigirlo. ¿Y qué te parece si reconoces que él también tiene necesidades emocionales?*

Hasta esa noche inolvidable, había estado culpando a Greg por mi infelicidad. Sin embargo, ¡ya no podía negar que *era yo la que había estado abriendo agujeros en el balde de nuestra felicidad conyugal*! A los pocos días, nos encontrábamos juntos en el consultorio de un terapeuta, donde Greg hizo la promesa de no hacerse daño, yo hice la promesa de controlar mi enojo y nos prometimos tratar de comprender las necesidades emocionales del otro.

Por si acaso piensas que en esta esfera Greg es único entre los hombres, piénsalo otra vez. Algunas mujeres creen que todo lo que necesita un esposo para ser feliz es relación sexual y un sándwich, y que en tanto obtenga estas cosas de vez en cuando, su esposa puede tratarlo como quiera. No obstante, un hombre también tiene profundas necesidades emocionales, necesidades que tal vez no quiere comunicar o no puede hacerlo. Si su esposa pasa por alto estas necesidades o las niega, se siente devastado y tomará medidas para protegerse, ya sea con una pelea o con un patrón de evasión. Puede pelear por sus derechos en la relación exigiendo que su esposa se someta a cumplir con ciertas expectativas o, como Greg, puede preferir evadir la responsabilidad y retraerse emocionalmente de la relación, o incluso, buscar un amor más satisfactorio en otra persona.

Lo cierto es que los hombres no son tan diferentes de las mujeres cuando se trata de sus necesidades básicas. Los hombres también tienen necesidades emocionales y pueden tener una sensación de desesperación cuando no se satisfacen esas necesidades.

¿Los hombres tienen necesidades emocionales?

El 11 de septiembre de 2001 fue un día de innumerables tragedias. Miles perdieron a seres queridos entre las llamas y al derribarse las Torres Gemelas de la ciudad de Nueva York. Sin embargo, la trágica pérdida de seres queridos no se detuvo una vez que se extinguió el fuego. Ocho mujeres casadas con bomberos de Nueva York experimentaron, tiempo después, la mayor pérdida personal de una manera tan sorprendente como la anterior. La mayoría dijo que jamás la vio venir. ¿A qué pérdida me refiero? A la de sus esposos, que las dejaron porque se enredaron en aventuras extramatrimoniales con mujeres a las que rescataron de los edificios en llamas o con viudas que perdieron a sus esposos en los ataques terroristas. En el episodio del 30 de agosto de 2004 de *Oprah*, un representante del Departamento de Bomberos de Nueva York explicó que se trata de un fenómeno bastante común después de una gran tragedia. A los bomberos se les alienta a que cumplan la función de «protector sustituto» en la familia de una viuda, a fin de ayudarlas a adaptarse a vivir sin su ser querido. Sin embargo, es evidente que para algunos la tentación de pasar de una suposición a un verdadero sustituto es difícil de resistir.

Lo que me llamó la atención en este informe fue que las ocho esposas abandonadas por sus esposos bomberos dijeron que nunca se imaginaron la aventura amorosa ni el divorcio. Desde su óptica, parecía que todo estaba bien en la relación. No obstante, los esposos contaron historias muy diferentes. Dijeron haberse sentido olvidados y menospreciados, sintieron que se les faltaba el respeto y que no los habían valorado. Varios expresaron que deseaban terminar con sus relaciones mucho antes de que comenzaran las aventuras amorosas.

A pesar de que nada puede justificar la infidelidad en el matrimonio, creo que hay una lección que podemos aprender de esta historia desalentadora y es la siguiente: *los hombres necesitan sentir que son los héroes de sus esposas*. No solo quieren que satisfagan sus necesidades sexuales, también quieren que se satisfagan sus necesidades emocionales de amor, respeto, valoración y admiración. Cuando no se satisfacen estas necesidades, el corazón de un esposo se enfría. Aun así, no tiene que ser de esta manera.

Demos lo que anhelamos recibir

Por mucho que deseemos que nuestros esposos entiendan y satisfagan nuestras necesidades más profundas, debemos aprender a dar lo que deseamos recibir.

Entonces, ¿cómo puede entender una mujer las necesidades emocionales de un hombre? Mejor aun, ¿cómo puedes satisfacer esas necesidades en tu esposo, encendiendo el gozo y la pasión que los dos desean e inspirándolo a que te trate de la manera que anhelas? Sigue leyendo, a medida que consideramos cómo los momentos de desesperación requieren medidas desesperadas.

los tiempos de desesperación requieren medidas desesperadas

Nunca olvidaré el día en que una de mis mejores amigas de la niñez recibió un juego de columpio nuevo para su cumpleaños. Jamás lo olvidaré porque la cicatriz que tengo en la frente no me lo permitirá.

El aparato tenía los columpios típicos, un tobogán y una barra en forma de U para dar vueltas, pero también tenía algo fantástico que nunca antes había visto en estos juegos. Tenía la forma de una canasta con dos bancos de frente, lo que permitía que dos personas se columpiaran en forma de péndulo al mismo tiempo. Dos de las niñas que asistieron al cumpleaños se treparon a los asientos y yo me ofrecí a columpiarlas, con la esperanza de conseguir el siguiente turno dentro de la canasta. Mientras empujaba, las niñas gritaban: «¡Más alto!». Así que decidí empujar como lo hacía, casi siempre, cuando empujaba a alguien en un columpio de los comunes: ponía las manos sobre la espalda del otro y avanzaba hasta llegar corriendo por debajo del columpio hasta el otro lado. Afirmé los pies para darles el empujón tradicional y, luego, empujé hacia arriba lo más alto que pude.

De repente, me di cuenta de que el peso de la segunda persona me impedía empujar el columpio lo suficiente alto como para pasar por debajo de la canasta, pero era demasiado tarde. Los movimientos de mi cuerpo ya estaban comprometidos con la tarea. En lugar de correr todo el trayecto por debajo hasta llegar al otro lado, el contragolpe de la hamaca pendular cayó sobre mí. El reposapiés me dio en la frente, me tumbó al suelo y me arrastró boca arriba.

Por más tonta que parezca esta maniobra, muchas mujeres, hoy en día, quedan atrapadas en un movimiento pendular parecido: el feminismo. Cuando Dios creó a los hombres y a las mujeres, nos diseñó para ser coherederos de su reino con un delicado equilibrio de poder y sumisión del uno hacia el otro (hablaremos de la sumisión mutua en el capítulo 10). Sin embargo, en los siguientes siglos, el peso del poder osciló demasiado hacia el lado masculino y las mujeres se sintieron burladas en sus derechos humanos básicos, sobre todo en el derecho de protegerse contra los esposos abusivos en el aspecto físico y en el derecho al voto.

Para principiantes...

Aquí tienes un anticipo de algunas de las medidas que puedes tomar para protegerte contra los tiempos de desesperación.

1. Todos los días, dale gracias a Dios por tu esposo y menciona atributos específicos que admiras y valoras. Pídele que te muestre algunas maneras específicas en las que puedes ser una bendición para tu esposo en ese día, luego, quédate quieta y escucha. Pídele a Dios que te ayude a contener las palabras cuando sea necesario y a decir la verdad en amor cuando haga falta. Expresa el deseo de tener siempre un corazón tierno hacia tu esposo y de que su corazón se sienta atraído hacia el tuyo de manera amorosa.

2. Echa fuera cada pensamiento negativo acerca de tu esposo con tres pensamientos positivos. No hay problema en orar para que Dios lo transforme o lo moldee en algún sentido, pero trata de no quejarte como si no valoraras el regalo que Él te ha dado en tu esposo. Reconoce que no tienes el discernimiento para saber lo que necesita de verdad,

entonces, confía en que Dios conoce todo lo que necesita para ser más parecido a Cristo y se lo dará. Además, cada vez que ores para que Dios cambie algo en tu esposo, pídele que cambie tres cosas en ti.

3. Dale gracias a Dios por las oportunidades que tienes de crear un ambiente feliz en tu hogar para tu esposo y tus hijos. Si no te gusta limpiar la casa, lavar la ropa, cocinar, decorar y hacer mandados, o si tu trabajo fuera de casa no te permite darte el lujo de concentrarte en tales tareas con mucha frecuencia, pídele a Dios que te dé la gracia para hacer lo que puedas, de modo que tu hogar sea un lugar al que desee regresar tu familia. Recuerda con frecuencia que tu familia y la vida de hogar son tus prioridades, y que lo que haces por tu esposo y tu familia vale para toda la eternidad.

4. Si te sientes malhumorada, avísale a tu esposo que no te sientes como siempre y que, tal vez, necesites algo de tiempo a solas para relajarte, darte un baño de burbujas, leer, orar o hacer cualquier otra cosa que te ayude a calmarte. Si no puede darte ese tiempo, llama a una amiga y pídele que se ocupe de los niños por un rato y ofrécele hacer lo mismo por ella cuando surja la necesidad. Algunas veces, nuestra salud emocional y mental puede ser frágil, así que debemos manejarnos con cuidado cuando no nos sentimos muy bien, con el cuidado de no dañar nuestras relaciones.

5. Como la mayoría de las veces, nuestras desilusiones están alimentadas por expectativas insatisfechas, trata de no llenar tu mente con ideas falsas acerca de lo que «debería» ser tu esposo. No lo compares con otros hombres, ni insistas en esas cosas en las que no da la talla. En especial, evita las comparaciones con personajes de la televisión, las películas o las novelas románticas, ya que esta clase de entretenimientos pinta retratos muy irreales que nada tienen que ver con la manera en que los hombres se conducen en las relaciones.

6. No pongas sobre los hombros de tu esposo la carga de responsabilidad de satisfacer todas tus necesidades emocionales. En lugar de culparlo, recuerda que es tu responsabilidad, y no la de otro, satisfacerlas. Busca primero a Dios, luego a otros familiares y amigas para que satisfagan algunos de tus anhelos de conexión. Además, recuerda que él no lee la mente. Si te parece que hay algo que te puede proporcionar, no vaciles en pedírselo.

7. Cuídate: descansa bien, mantén una nutrición balanceada y practica un ejercicio moderado constante; además, evita el estrés innecesario causado por el exceso de compromisos. Con frecuencia, el descontento y la desilusión que siente una mujer en el matrimonio no tienen tanto que ver con la infelicidad que le produce su esposo, sino con sentirse demasiado cansada, demasiado gorda, demasiado sedentaria o demasiado ocupada. Todos estos asuntos pueden extenderse, con facilidad, a la relación matrimonial y permiten que la miseria de la esposa la afecte, de modo negativo, tanto a ella como a su esposo, sin mencionar a sus hijos y a otros seres queridos.

Sin embargo, hoy en día, algunas mujeres presionan en dirección opuesta, lo que trae como resultado el deseo de poder *sobre* los hombres. He oído a algunos que se refieren a esta raza de mujeres atrevidas como «feminazis». Estas mujeres promueven las libertades reproductivas (el aborto sin el consentimiento del padre), estilos de vida alternativos (lesbianismo) y un odio generalizado hacia el género masculino[1]. Ahora bien, hay muchos hombres que se sienten igual que las mujeres tiempo atrás: de algún modo estafados al quitarles sus derechos humanos básicos de respeto en sus hogares y de que los traten con dignidad. Algunos, hasta sienten que sus esposas les han maltratado en lo emocional y que no tienen ningún derecho de decir algo al respecto.

A pesar de que nunca me he considerado feminista, he llegado a darme cuenta de que muchas de nosotras que crecimos en los setenta y los ochenta hemos llegado a adoptar, en forma inocente, algunas filosofías feministas sin reconocerlas como tales. A menos que nos hayan criado debajo de una roca y que hayamos estado protegidas por completo de los muchos mensajes feministas que hay en los medios, no hemos podido escapar de la influencia feminista.

La Dra. Laura Schlessinger habló acerca de este movimiento pendular en su libro *Cómo cuidar y tener contento al esposo* cuando dijo:

> En algún tiempo, el compromiso con el matrimonio y la crianza de los hijos se veía como el pináculo de la identidad adulta, así que las mujeres buscaban con cuidado al hombre «adecuado» para la tarea, y se consultaba a los padres para pedirles opiniones y bendiciones. Ahora bien, con tan pocos matrimonios que se sostienen en el tiempo y con hijos que crecen con árboles genealógicos complejos formados por matrimonios múltiples, divorcios e hijos extramatrimoniales, hay menos mujeres que consideran al matrimonio y la crianza de los hijos como algo estable o incluso algo normal.
>
> La extremada complicación que presenta el feminismo al elevar a las mujeres sin los hombres (y a los hijos sin los padres), y la desestimación de los hombres como innecesarios y hasta peligrosos, de seguro no han contribuido a la clase de disposición positiva que necesitan las mujeres para funcionar bien dentro de una relación monógama, heterosexual y comprometida.
>
> Este egocentrismo presuntuoso en cuanto al valor de las mujeres, junto con el desprecio hacia los hombres, conduce a las mujeres a tratarlos de mala manera. Son muchas las mujeres que miran a los hombres con la necesidad de imponer sus derechos, en lugar de verlos como una oportunidad para poner en práctica una actitud magnánima. ¿Cuál es la razón? Todas esas fuerzas juntas le han dado a la mujer un falso sentido de superioridad[2].

Este falso sentido de superioridad no se puede negar si miramos con atención a nuestra sociedad. En algunos círculos, a las mujeres se les aplaude por ser valientes y abandonar a sus esposos e hijos a fin de descubrir «quiénes son en realidad» y para ir en busca de sus sueños (como si un matrimonio próspero y una familia fuerte no fueran objetivos suficientes). Cuando se habla de una discordia matrimonial, la sociedad insinúa que la culpa principal es de los hombres.

Hollywood nos ha enseñado, una y otra vez, que los hombres no saben hacer otra cosa más que usar recursos de poder, vegetar frente el televisor, gritar pidiendo otra cerveza, eructar más fuerte que el siguiente zopenco y quejarse porque sus esposas no les dan suficiente cantidad de relación sexual. El deterioro de la imagen masculina que se ve en la televisión y en las películas ha creado un trasfondo de falta de respeto y de discordia en muchos hogares. Lo que es peor aun, algunas familias cultivan una auténtica animosidad de los unos hacia los otros. En algunos casos, hasta se desesperan por hacer un retroceso veloz y llegar a la parte del matrimonio donde se dice «hasta que la muerte nos separe». En el año 2003, de las víctimas de asesinato que conocían a sus asesinos (ya fueran familiares o alguna clase de conocido, como empleadores), al veintiún por ciento lo asesinó su cónyuge o su pareja íntima. El setenta y nueve por ciento de esas víctimas fueron mujeres; el otro veintiún por ciento fueron hombres[3]. Aunque las circunstancias que rodean cada asesinato doméstico en este país varían de un caso al otro, no cabe duda de que debe haber una abrumadora sensación de desilusión, ira, resentimiento y amargura que cause semejante furia y violencia. Debemos reconocer que los hombres y la masculinidad están bajo ataque, incluso en los hogares cristianos.

Lo que tienen que decir los esposos

Cuando les pedí a los esposos que me dieran ejemplos de lo que sucede a puertas cerradas que hace que el corazón de un hombre se enfríe hacia su esposa, muchos no dejaron pasar la oportunidad de descargar su dolor. Aquí tenemos algunas de sus respuestas:

✳ «Si mi esposa me diera una libreta de calificaciones mensual, todos los meses obtendría la nota más baja. Haga lo que haga, para ella nunca alcanza. El noventa por ciento de las veces me esfuerzo por hacer todo lo que me pide, ya que de lo contrario, sé que esa noche se armará una trifulca. Sin embargo, otras veces pienso: *¿Para qué? De todas formas no lo valorará*».

✳ «A juzgar por las apariencias, mi esposa es una persona maravillosa que los demás consideran una buena esposa y madre. En cambio, si fueras una mosca apoyada sobre la pared de nuestra casa, podrías oír que, muchas veces, es una persona diferente por completo en privado. Su tono cortante y su actitud irrespetuosa te dejarían boquiabierto, con todo y eso se supone que no debo inmutarme y comportarme como un hombre».

✳ «A menudo, mi esposa dice que comprende las necesidades sexuales que tienen los hombres, ¡pero casi nunca cumple con lo prometido! La mayoría de las veces, lo único que recibo es una conversación compasiva y una palmada en el hombro acompañada por una excusa: está demasiado cansada, demasiado distraída o demasiado atareada como para acostarse a una hora razonable».

✳ «Es difícil aceptar que mi esposa me acuse de no interesarme por ella ni por los niños si necesito descansar algunos minutos cuando llego a casa del trabajo. Cuando se me acusa de ser perezoso y de ser un pésimo marido y padre, no quiero saber nada de conectarme con mi esposa. A partir de ese momento, el resto de la noche va de mal en peor».

No cabe duda de que ninguno de estos hombres siente que es un héroe para su esposa. No creo que ninguna de estas esposas haya querido hacer que sus esposos se sientan de esta manera. A pesar de eso, muchas veces parece que las esposas suponemos que los corazones de nuestros esposos están hechos de acero. Tal vez, el anillo que llevamos en nuestro dedo nos dé la impresión de que estarán siempre a nuestro lado, sin importar cómo los tratemos.

No sé tú, pero yo no quiero un esposo que esté vivo en el aspecto físico, pero muerto emocionalmente con respecto a mí. Quiero que a Greg lo entusiasme nuestra relación y que desee regresar a casa todos los días. No quiero que cumpla con las formalidades para pasar mi rigurosa inspección y que así lo deje en paz. Quiero que su corazón siga sintiendo ternura y afecto hacia mí. Sin embargo, me he dado cuenta de que no puedo tener estas cosas si no sé valorarlo y si lo trato de modo irrespetuoso, lo que hice muchas veces en el pasado.

Tal vez pienses que tu esposo nunca caerá en la categoría de «desesperado». Es probable que nunca lo hayas oído decir ningún comentario ni remotamente similar a los anteriores. No supongas que si no dice que se siente insatisfecho quiera decir que es feliz. Los hombres no hablan de sus sentimientos a cara descubierta como lo hacen las mujeres. La mayoría no dice nada y luego acumula el dolor en lo profundo de su corazón. No se trata de una falla de carácter; los hombres son así. Permiten que sus emociones los pongan en acción para «arreglar» las cosas, pero si sospechan que un problema no se puede arreglar o no tienen idea de cómo arreglarlo, casi siempre esconden su frustración. No obstante, cuando una persona esconde una emoción, se echa raíces en el suelo del corazón y, por lo general, salen a la superficie en forma de otras emociones más intensas. La mayoría de los hombres que respondió a nuestra encuesta admitió que su frustración había salido a la superficie en forma de temor o de aversión hacia sus esposas, no hay mujer que desee ni una cosa ni la otra.

A lo mejor, te preguntas si esos esposos le han dicho a sus esposas cómo se sienten. La mayoría dice que sí, que han tratado de comunicar sus sentimientos, pero que se los callan con comentarios defensivos. Dijeron que están cansados de tratar de convencer a sus esposas de que tienen quejas legítimas y que, si insisten en pedir cambios, sus esposas los acusarán de ser tiranos. Otros dijeron que el temor a empeorar las cosas les impidió discutir con franqueza estos asuntos con sus esposas.

¿Qué papel representas?

Si no eres feliz en tu matrimonio, no cometas el error de echar sobre tu esposo toda la responsabilidad de darle un vuelco a la relación matrimonial. *No* todo depende de él. Por lo general, los problemas son el resultado de las acciones y actitudes de *ambos* cónyuges.

Por supuesto, cuando parece que existe un problema real, casi siempre la esposa es la primera en sugerir la terapia matrimonial. Sin embargo, ¿cuáles son sus expectativas cuando empuja a su esposo a través de la puerta del consultorio del terapeuta? Por lo general, su objetivo es que *él* cambie para que *ella* pueda ser feliz. Fíjate en este otro pasaje de *Cómo cuidar y tener contento al esposo*:

[Un esposo o esposa infelices] van al terapeuta, pero es triste que gran parte de la profesión psicoterapéutica esté llena de personas que tienen el mismo libreto: Los valores tradicionales no cuentan, los hombres son los malos de la película y las mujeres están oprimidas. La cura que proponen es feminizar al esposo o sugerir el divorcio. Ken, un oyente, confirmó esta posición cuando escribió:

«Mi experiencia en casi todos los caminos que hemos probado (es decir, libros de autoayuda, cintas grabadas, terapia personal, etc.) ha mostrado que la sociedad de hoy insiste en que es RESPONSABILIDAD ABSOLUTA DEL HOMBRE aprender a comprender y a comunicarse en un nivel que la mujer pueda comprender y digerir. Pareciera que los avances positivos en una relación SOLO pueden producirse si el esposo está dispuesto a cambiar su naturaleza misma, a sintonizar su lado "femenino" y a aprender a pensar, a responder y a "percibir de manera emocional" como lo hace su esposa.

»Si el varón tiene algún deseo o percepción diferentes, no es más que por su naturaleza egoísta, obtusa y con tendencia a las actitudes incivilizadas. Por lo tanto, tiene la responsabilidad de librarse de cualquier cosa que pudiera catalogarse como "masculina" si se quiere que exista algo de paz en la casa»[4].

Es cierto que muchas mujeres no son felices, pero también es cierto que muchos hombres no lo son tampoco. Son tiempos de desesperación y tal vez esta desesperación sea un indicativo de que es hora que las mujeres tomemos medidas urgentes y nos preguntemos: *¿La manera en que trato a mi esposo contribuye a la desaparición de la imagen masculina?* Para bailar el tango hacen falta dos y por más que queramos arrojarles piedras a nuestros torpes compañeros, todos debemos detenernos y preguntarnos: *¿Qué parte represento en la danza de descontento de mi matrimonio?*

La conclusión es la siguiente: *Aunque creas firmemente que el noventa y cinco por ciento de los problemas en tu matrimonio son culpa de tu esposo, ¿estás dispuesta a concentrarte en el cinco por ciento sobre los que tienes control?*

Si lo haces, tienes muchas probabilidades de poder experimentar el gozo y la pasión que siempre soñaste que existiera en el matrimonio, y podrás crecer hasta convertirte en la persona principal que satisfaga las mayores necesidades y los mayores deseos de tu esposo.

Cómo se pone en práctica los principios

Escribir un libro que tenga el subtítulo *Aviva el gozo y la pasión que ambos desean*, genera mucha presión interna. Desde el momento en que le entregué esta idea a mi editor, hubo momentos en que me preguntaba si me correspondía escribir semejante libro. Aunque Greg y yo hemos tenido momentos en los que hemos sentido una increíble intimidad emocional y pasión sexual, también hemos tenido momentos en que nuestros corazones estaban congelados para con el otro. El día que recibí la mayor confianza para seguir adelante con esta idea fue el mismo en que Greg y yo fuimos a un hotel para comenzar a trabajar juntos en este manuscrito. Me pusieron a prueba en gran manera. Greg explicará esta prueba:

> Hacía varias semanas que Shannon y yo habíamos programado un retiro para escribir, y los dos lo esperábamos con ansias. Sin embargo, yo tenía una importante reunión de la junta directiva programada para la semana siguiente y necesitaba completar varios informes financieros y enviárselos a los miembros del comité ese viernes por la tarde antes de partir hacia nuestro retiro. Esto me producía muchísimo estrés.
>
> Mi plan era tener listos esos informes y estar en casa a eso de las tres de la tarde, a fin de poder llevar a nuestros hijos a la casa de los padres de Shannon, antes de irnos para el hotel. No obstante, a eso de las dos, me di cuenta de que mi plan no resultaría. Hice lo único que podía hacer. Llamé a Shannon (con temor y temblor) y le pregunté si era mucho pedirle que llevara a nuestros hijos a

la casa de sus padres y que luego regresara para buscarme a eso de las cinco, así tenía un par de horas más antes de irme de la oficina.

Cuando Greg me pidió que llevara a nuestros hijos y regresara para recogerlo más tarde, la idea no me gustó en absoluto. Me había imaginado cómo conversaríamos y nos devanaríamos los sesos juntos en el auto luego de dejar a los chicos y me estremecí al pensar en hacer sola ese viaje mientras él todavía estaba en la oficina. Por otra parte, sabía que de ninguna manera me hubiera hecho semejante pedido, si no hubiera sido importante de verdad. Sentía que la decisión dependía de mí. Podía comenzar ese fin de semana con una nota ácida al responder de la manera en que lo hubiera hecho en el pasado («¡Greg, hace semanas que lo planeamos! ¿Por qué no administraste mejor tu tiempo? ¿Por qué no puede esperar? ¿Por qué el trabajo siempre tiene que estar primero? ¿Qué hay de mí? ¿Por qué no puedes ponerme en primer lugar por una vez en la vida?»). O podía comenzar el fin de semana poniendo primero sus necesidades y estableciendo el tono para una experiencia maravillosamente íntima. Por fortuna, pude escoger esta última.

—¿Por qué no hacemos un trato diferente? Preferiría no llevar a los niños a la casa de mis padres sin ti, porque estoy esperando de verdad ese tiempo de viaje juntos. ¿Por qué no llamo al hotel y les digo que llegaremos más tarde, luego espero hasta que termines en la oficina para que podamos dirigirnos juntos a Greenville? —sugerí.

—¡Prometo no llegar más tarde de las cuatro y media! —respondió Greg aliviado.

—Quédate hasta las cinco, si lo necesitas —le dije, con la esperanza que se diera cuenta del margen extra que le daba a propósito.

Cuando Greg llegó a las cuatro y cincuenta y ocho de la tarde, estaba aliviado por haber terminado ese proyecto y agradecido porque yo no estaba molesta. De todos modos, lo mejor fue el tono que estableció para el fin de semana que pasamos juntos, así como para la semana siguiente. Greg dice:

No podía creer que Shannon me estuviera dando tanto margen y que tampoco estuviera molesta. La decisión que tomó de ser tan afable me hizo sentir respetado y apoyado. Siempre ha sido atractiva para mí, pero este fin de semana en particular, me sorprendió lo hermosa que se veía. Es probable que se haya visto igual que siempre, pero la vi a través de una mirada nueva: sentía que me amaba de verdad y eso hizo que fuera muy fácil devolverle ese amor.

Cuando regresamos a casa, Shannon sabía que yo tenía mucha presión para terminar de alistarme para la reunión de la junta. Me quedé trabajando desde las ocho de la mañana hasta la medianoche, tres noches seguidas, algo que nunca antes había hecho. Estaba lo bastante estresado por tener que trabajar todas estas horas, y no necesitaba el estrés de sentir que había caído en desgracia en el hogar por tener que trabajar hasta tarde. Sin embargo, la amabilidad y el compromiso de Shannon con la unidad continuaron a lo largo de toda la semana. Nunca me acosó para que volviera a casa, sino que solo dejaba una luz encendida todas las noches para cuando yo llegara y me llamaba un par de veces al día para decirme que estaba pensando en mí. Una noche, me sorprendió con una cena y trajo suficientes provisiones como para que me duraran un par de días. Cuando llegó el momento en que la reunión de la junta terminó tarde esa semana, no veía la hora de llegar a casa.

Aunque no me gustaría que Greg trabajara tantas horas en forma regular, tengo que entender que su puesto trae consigo una enorme responsabilidad, y algunas veces en el año, requiere una inversión extraordinaria de tiempo y energía. Sé que, de ser posible, preferiría estar en casa con nosotros. Si mantengo fresco este pensamiento en mi mente, me resulta mucho más fácil ser compasiva con él durante las situaciones estresantes del trabajo.

No te cuento esta ilustración para hacer sonar trompetas por mi conducta, sino para pintar un cuadro vívido de lo que es tomar medidas urgentes en tiempos de desesperación, de una manera constructiva y de apoyo, en lugar de hacerlo en forma destructiva. Todo matrimonio pasará por algunos de estos tiempos; es parte del terreno que debemos transitar. Lo que decidamos hacer en esos momentos es lo que influirá en gran medida sobre nuestros esposos y sobre el gozo y la pasión que experimentemos en la relación.

Lo que viene

En la siguiente parte del libro, nos detendremos a reflexionar y le daremos una mirada al panorama general del matrimonio, incluso al potencial que tenemos de ministrarle a nuestros cónyuges como nadie más puede hacerlo. Luego, en la tercera parte, examinaremos algunas de las cosas más comunes que hacemos (casi siempre de manera subconsciente), que hacen que el corazón de nuestro esposo se enfríe. En la cuarta parte, nos concentraremos en cómo puedes comprender y satisfacer las necesidades emocionales más básicas de tu esposo. Por último, hablaremos de cómo puedes echarle leña al fuego de la pasión de tu esposo hacia ti. Cuando su pasión arde con más brillo y lo inspiras a entrar contigo a un nivel más íntimo, los dos experimentarán el gozo y la máxima satisfacción que esperan tener en su matrimonio.

Recuerda, no eres la única que desea que tu matrimonio crezca con más fuerza, más felicidad y más satisfacción. Dios también desea que tú y tu esposo tengan una relación que no solo sobreviva, sino que *prospere*.

miremos el panorama general

¿apagados o en calentamiento?

Hace poco, hice un largo viaje en auto con una amiga (la llamaré Andrea). Hacía tan solo dos semanas, un muchacho soltero llamado James la había hecho perder la cabeza. Andrea habló hasta por los codos durante el viaje de cuatro horas acerca de lo maravilloso que parecía ser James: increíblemente buen mozo, temeroso de Dios y ocurrente. Al pasar por el mostrador de cosméticos de la tienda Dillard's, Andrea se detuvo para tomar una muestra de la fragancia Polo, la favorita de James, para poder recordar cómo olía. Todo lo que dijera acerca de él parecía no ser suficiente, pero yo me había quedado sin nada que decir acerca de Greg antes de que cruzáramos el límite del condado.

Parecía que James era atento y el ideal. Andrea deliraba debido a que la llamaba varias veces al día tan solo para ver qué estaba haciendo, para decirle las cosas más dulces y para asegurarle siempre que él (y la relación entre ellos) era ideal de verdad. Cuando Greg me llamaba al teléfono celular, era para hablar sobre el lugar al que tenía que ir cada uno de nuestros hijos ese día o para preguntarme qué podía preparar para la cena. Me decía «Te amo» antes de cortar, pero no era algo mágico. No inspiraba ningún cambio en mi tono de voz. No me sudaban las palmas de las manos. No tenía sensaciones mágicas en el estómago. No era más que una conversación de rutina. Nuestra relación no ha sido siempre así. En algún tiempo, daba volteretas cada vez que me llamaba.

Luego de colgar, tomé nota mental: *¡Guarda tu corazón, Shannon!* Debía tener cuidado de no estar celosa por la intensidad de la nueva relación de Andrea. No podía comparar mi matrimonio de quince años con esta relación de quince días. Era probable que Greg y yo ya no tuviéramos la llama de la intensidad, pero teníamos algo mucho más brillante: las brasas de la intimidad. Tal vez una analogía ayude a explicar lo que quiero decir.

Cuando Greg y yo nos mudamos, hace ya varios años, y salimos de la jungla de concreto de Dallas, para vivir en los bosques de pinos del este de Tejas, descubrimos un nuevo placer sencillo: sentarnos alrededor de una fogata. En la ladera de una montaña a pocos metros de nuestra cabaña de troncos, Greg creó un lugar perfecto para fogatas. Con traviesas de las vías férreas, construyó un muro de contención y formó muchos asientos para la familia y los amigos. Por más divertido que sea encender el fuego, asar salchichas, tostar malvaviscos, contar historias, cantar y solo disfrutar de la compañía mutua alrededor del fuego, mi momento favorito llega cuando finalizan esas actividades y todos se marcharon excepto Greg y yo. Es entonces cuando puedo reflexionar acerca de cuánto tienen en común esa fogata y nuestro matrimonio. En cuanto las llamas furiosas se extinguen, las brasas arden con su máximo brillo y generan el calor más intenso.

Lo mismo puede decirse de una relación matrimonial, pero no siempre entendí esto.

¿Qué le sucedió a nuestra llama de pasión?

Cuando Greg y yo nos conocimos, empezamos a salir juntos y nos casamos, no podía imaginar que quisiera estar con ninguna otra persona. Me hacía sentir especial, valorada y deseable. La llama de la pasión que sentíamos el uno por el otro ardía con gran resplandor. Sin embargo, siete años y dos hijos después, ya no me sentía muy especial. Parecía que nuestra vida juntos había perdido su chispa mágica. Al no comprender lo que sucedía, pensé que se extinguía nuestra llama. En el momento no lo sabía, pero algunos científicos creen que existe, en verdad, una explicación biológica para este fenómeno habitual en las relaciones matrimoniales:

El punto alto del amor apasionado no dura para siempre. El cuerpo genera una tolerancia a las sustancias químicas naturales del cerebro asociadas con el comienzo en el amor; cada vez se necesitan más para sentir el mismo nivel de euforia. Algunas personas interpretan que la correspondiente disminución en la energía sexual quiere decir que ya no están enamorados y, de seguro, para algunos marca el fin de una relación. Sin embargo, en lugar de ser el fin del amor, puede ser la transición hacia el amor del compañerismo, que dura más.

Parece que el cerebro no puede tolerar el continuo estado de aceleración del amor apasionado. A medida que se disipa la novedad de la pasión, el cerebro pone en acción nuevas sustancias químicas, las endorfinas, sustancias naturales parecidas a la morfina que calman la mente. La excitación puede disminuir, pero la seguridad del amor del compañerismo puede proporcionar un placer distinto, no necesariamente menor[1].

Debido a que había tratado de seguir en ese «estado de aceleración del amor apasionado» con mi esposo, no podía reconocer el placer del «amor de compañerismo» que se desarrollaba poco a poco entre nosotros. En lugar de comenzar con la difícil tarea de atizar las brasas de nuestra relación para renovar esa sensación de fogosidad, por poco tiro la suficiente cantidad de tierra sobre el fuego como para extinguirlo del todo. Como anhelaba la felicidad eufórica y la intensidad características de una nueva relación, me encontré gravitando hacia nuevos hombres... hombres que me hacían sentir especial, valorada y deseable otra vez, debido a la atención que me prodigaban.

Casi en todas partes a las que iba, conocía a un hombre que me hacía sentir que se encendía esa chispa de excitación que ya Greg parecía no encender. Mi instructor de gimnasia aeróbica me hacía sentir sexy otra vez cuando me elogiaba por lo bien que me veía al perder los kilos de más que había ganado en el embarazo. Luego de años de quedarme en casa y de mirar demasiadas repeticiones de *Plaza Sésamo* y de *Barney*, el profesor de la universidad me recordó que era inteligente al elogiar mis trabajos de investigación o la participación en clase. Un amigo de la iglesia me hacía sentir como una confidente especial al llamarme con frecuencia por teléfono durante el día, a fin de quejarse de su matrimonio y comentar cuánto desearía que su esposa se pareciera más a mí. Mi ego recibía muchos halagos, pero todos provenían de relaciones superficiales, de hombres que solo me conocían a la distancia. Por otra parte, Greg me veía bien de cerca. Conocía quién era de verdad.

Por fortuna, comencé a ir a terapia antes de que mis aventuras amorosas emocionales se volvieran sexuales. Además, mi terapeuta me ayudó a comprenderme mejor y a entender las razones de mi descontento.

La intensidad no es intimidad genuina

Durante esos años de matrimonio, tuve luchas porque, como muchas mujeres, no había comprendido la diferencia entre la *intensidad* y la *intimidad*. La *intensidad* es una sensación de excitación extrema o de euforia. Es la consecuencia natural de una relación flamante. Muchas veces, la intensidad se hace pasar por la intimidad. Cuando vamos conociendo cosas nuevas en una persona, por lo general, pensamos que estamos experimentando intimidad, pero descubrir cosas nuevas en un extraño no es intimidad, solo es algo nuevo. Puede resultar emocionante. Puede hacer sentir intensidad. Sin embargo, casi siempre es superficial y temporal. En el mejor de los casos es algo incompleto. En su mayor parte, solo llegué a conocer de estos hombres los aspectos que querían que viera. En su mayoría, estas relaciones *parecen* íntimas, pero la intimidad que yo sentía era falsa.

La intimidad genuina solo se podía encontrar en el hogar, donde Greg y yo no solo veíamos lo bueno, sino también lo malo y lo feo en cada uno. La palabra *intimidad* se puede definir mejor si pensamos que hace referencia a lo más interior, lo más interno. Es la habilidad de ver el interior del corazón, de la mente y del espíritu de otra persona, lo cual es imposible hasta que se haya llegado a conocer a ese individuo durante un largo período. Solo se consigue una vez que pasa la intensidad y llegas a conocer cosas que la mayoría de las personas no puede conocer, a menos que vivan con ese individuo.

Por ejemplo, no entendía muy bien por qué los problemas sexuales, emocionales y de relación representaban una lucha tan grande para mí. Hasta que conocí a Greg, ningún muchacho se había tomado el tiempo para conocerme de verdad, para comprender y reconocer la raíz que causaba mi tendencia a buscar amor en los lugares equivocados. La mayoría de los hombres corría en la dirección opuesta o se aprovechaba de mi vulnerabilidad, pero Greg no hizo lo mismo. No era la clase de hombre que piensa en «ámala y déjala»; estaba (y está) comprometido con nuestro matrimonio a largo plazo. Por lo tanto, a pesar de que se sintió herido en lo más profundo cuando se enteró de mi infidelidad emocional, se decidió a ayudarme a superar estos patrones disfuncionales. Mientras que algunos hombres se hubieran ofendido con esta clase de información, él sintió que, mientras se lo dijera en lugar de ocultárselo, teníamos esperanza. En vez de salir corriendo, quiso ayudarme a ver cuáles eran las necesidades genuinas que estaban detrás de mis debilidades, de modo que pudiera satisfacerlas de manera saludable y me convirtiera en la mujer que Dios tenía en su corazón.

¿Qué vio Greg al mirar el interior de mi corazón que nadie más pudo ver? Vio a una niñita dolida que no comprendía quién era en Cristo, ni que Jesús quería ser el amante de su alma. También vio a una mujer que no podía comprender la altura y la santidad de los llamados al matrimonio y a la maternidad. Poco antes de esta época de nuestras vidas, había renunciado a una carrera en una oficina que constituía un reto. Allí recibía elogios sin cesar por mis logros, así que al tener que quedarme en casa con dos niños, tuve que hacer ajustes difíciles. Nadie me aplaudía cuando limpiaba la comida de bebé que caía sobre la silla alta. Nadie me ovacionaba cuando llevaba a los niños a las clases de *ballet* ni a los campos de juego. Greg se dio cuenta de que yo había buscado en las relaciones de afuera un sentido de afirmación y un remedio para la monotonía de ser una madre a tiempo completo.

También entendió que usaba estas relaciones como una forma de medicación para aliviar el dolor que sentía por tener un padre que nunca había demostrado interés en estar conmigo. Greg se dio cuenta de que la necesidad de tanta atención y afecto no estaba tan relacionada con *nuestra* relación, sino con la relación disfuncional que había tenido con mi padre. Durante mis años de crecimiento, mi padre y yo tuvimos una relación tormentosa y la mayoría de los hombres hacia los cuales me sentía atraída eran mayores y representaban alguna forma de autoridad sobre mí. Eso le dijo a Greg que yo anhelaba una figura paterna. Sabía que él no podía tratar de llenar ese vacío, así que oró a nuestro Padre celestial para que Él sanara ese vacío que había en mi corazón. Dios demostró su fidelidad durante esa época. No solo restauró la relación con mi padre terrenal, sino que también restauró mi autoestima y mi capacidad para serle fiel a Greg.

Como no huyó cuando fui sincera y le conté acerca de mis luchas, me di cuenta de lo digno de confianza que era el hombre con el que me había casado, y por primera vez en mi vida me sentí a salvo y segura en una relación. Aprendí a valorar su paciencia, su sabiduría y su madurez espiritual al no culparse por mi infidelidad emocional. Gracias a su ayuda, pude afirmar los pies sobre un cimiento más firme. El descubrimiento del profundo nivel de compromiso que Greg tenía conmigo ha sido mucho más satisfactorio que cualquier momento «intenso» que haya experimentado con él o con cualquier otro hombre. Tengo su amor incondicional... a pesar de mis defectos. Este es el verdadero significado de la genuina intimidad, y esa intimidad es mucho mejor que las sensaciones placenteras, las palmas de las manos sudadas, los fuegos artificiales o cualquier otra forma de intensidad. Es irónico que cuando la intensidad (o la excitación) se encuentra en su punto más alto, casi siempre la intimidad está en su punto más bajo. Sucede lo mismo al revés: cuando la intimidad se encuentra en su punto más alto, puede parecer que la intensidad se encuentra en su punto más bajo. No había pasado un mes después del viaje que hice con Andrea, cuando me informó que había cortado la relación con James. Aunque era muy bueno con la labia, casi nunca se tomaba el tiempo para verla cara a cara. Siempre tenía una excusa para no verla ni por las noches, ni los fines de semana. Sus acciones comenzaron a hablar mucho más fuerte que sus palabras y Andrea ya había experimentado todo el rechazo que podía soportar. Le dijo que no podían seguir interactuando como una pareja. A pesar de que la relación de seis semanas fue intensa, nunca se volvió íntima en lo emocional. Entonces, Andrea se dio cuenta de que nunca experimentaría el gozo de sentirse a salvo y segura de verdad en una relación con alguien como James. Por otra parte, Greg todavía sigue a mi lado, tan comprometido como siempre.

La moraleja de esta historia es la siguiente: ten cuidado de no confundir *intensidad* con *intimidad*. La intensidad se desvanece a medida que pasa la novedad y se establece la familiaridad, pero la intimidad puede seguir creciendo cuanto más conoces a la persona y más se familiarizan el uno con el otro.

La intimidad exige esfuerzo

Por supuesto, la intimidad no se produce en forma automática. Requiere una inmensa cantidad de tiempo y de esfuerzo. Nuestras relaciones crecen y prosperan solo cuando nos ocupamos de ellas, las alimentamos y las cuidamos con diligencia. Greg y yo hemos alcanzado este nivel de intimidad solo como resultado de muchas sesiones de terapia y muchas horas dedicadas a una conversación sincera, dolorosa, y a la oración desgarradora. Siempre he pensado que nuestra relación íntima ha requerido mucha sangre, sudor y lágrimas: la sangre de Jesús, el sudor de Greg y mis lágrimas. Aun así, bien valía la pena y el esfuerzo la fragante belleza que hemos creado entre los tres durante estos tumultuosos años.

Mientras escribía este capítulo, se me ocurrió que los matrimonios se parecen mucho a la experiencia que tuve cultivando fresas. Hace varios años, se me ocurrió que quería cultivar fresas. Recordaba lo divertido que me resultaba cuando era niña ir al cantero de fresas de mi madre (que estaban plantadas dentro de una llanta de tractor en el patio) y arrancar las fresas grandes y maduras para el postre de esa noche. Al principio, me esforcé al máximo. Una amiga me ofreció todas las plantas de fresas que quisiera de su huerto. Así que fui a su casa y pasé horas sacándolas con una pala. Hasta conseguí una llanta de tractor y la llené con tierra, de modo que mi huerto fuera igual al de mi mamá. Trasplanté las delicadas plantas y luego comencé a regarlas a diario... durante unos cuatro días. Luego, me olvidé de las plantas y las descuidé durante algunas semanas. Las malezas, los insectos y la deshidratación las mataron a todas en ese breve tiempo. Quería tener fresas, pero no lo suficiente como para cuidar las plantas de manera adecuada. Era *apasionada*, pero no estaba *comprometida*.

Una dinámica similar destruye los matrimonios casi con la misma rapidez con que mis plantas de fresas se encontraron con su deceso. Muchos matrimonios comienzan de manera apasionada con metas loables, intenciones honorables y altas expectativas, pero si la pareja no está comprometida con el cuidado y el mantenimiento rutinario de su relación, el amor se desvanece y se va muriendo poco a poco. No tiene por qué ser así. La pasión inicial en una relación puede desaparecer y, sin embargo, el compromiso puede seguir tan fuerte como siempre. Es entonces cuando el amor apasionado evoluciona y madura para convertirse en amor comprometido. La posibilidad de que un matrimonio dure a largo plazo depende de la transición exitosa que tenga la pareja del amor apasionado al amor comprometido y de compañerismo.

Qué lamentable es que haya tantas parejas que nunca aprenden a hacer esta transición. Una vez que muere la llama de la intensidad, hacen lo que yo estuve a punto de hacer: le echan tierra al fuego y procuran encender algo nuevo con alguna otra persona. Sin embargo, como estás leyendo este libro, tengo la esperanza de que tu matrimonio no tenga la probabilidad de contribuir a que exista una estadística de divorcio más alta. Serás la clase de mujer sabia que anhele niveles más profundos de intimidad genuina dentro de su relación matrimonial, en lugar de buscar la intensidad de algo nuevo y superficial. El amor que sientes hacia tu esposo no se basará en sensaciones bonitas ni en fuegos artificiales, sino en la familiaridad, la sinceridad, la confianza, la seguridad y el compromiso.

un regalo mayor
que el esperado

Mientras me ayudaba a decorar el salón para mi fiesta de boda, una estudiante del instituto me lanzó una pregunta que me tomó por sorpresa. «¿Por qué en una ceremonia de boda la novia y el novio dicen "hasta que la muerte los separe"? ¿Por qué no pueden decir simplemente "hasta que ya no nos amemos", de modo que tengan la libertad de ir en otra dirección si no son felices?», preguntó Elizabeth.

Al principio, pensé que estaba bromeando, pero la expresión de su rostro me dijo que no era así. Quedé estupefacta tanto por la pregunta como por el valor que tuvo para hacerla. No recuerdo la respuesta literal que le di, pero le dije algo que rondaba entre el deseo de una mujer de tener un compromiso para toda la vida y no tan solo un anillo, la boda o la relación sexual.

Sin embargo, cuando las cosas se ponen duras, muchas parejas se preguntan: *¿Por qué Dios nos pide que permanezcamos juntos hasta que la muerte nos separe? ¿Por qué no nos da la libertad para tomar otro camino cuando la relación ya no trae felicidad?* Por error, estas parejas creen que el objetivo supremo del matrimonio es la felicidad. No es así.

El propósito supremo del matrimonio

El propósito de Dios era que la relación matrimonial fuera un reflejo de su relación con nosotros: una relación que permanece constante, porque no se basa en veleidosos sentimientos ni en el valor del ser humano, sino más bien se basa en un compromiso inalterable. La prueba de este plan la encontramos en Efesios 5:31-32, cuando Pablo reflexiona sobre la creación del matrimonio por parte de Dios:

«Por eso dejará el hombre a su padre y a su madre, y se unirá a su esposa, y los dos llegarán a ser un solo cuerpo». Esto es un misterio profundo; yo me refiero a Cristo y a la iglesia.

Fíjate que la Escritura no dice: «El hombre dejará a su padre y a su madre y se unirá a su mujer y *vivirán felices para siempre*». Pablo no menciona nada acerca de la felicidad. Dice que nuestra relación ilustra el compromiso que Cristo tiene con la iglesia y el objetivo de Cristo no consistió tanto en hacer que la iglesia sea *feliz*, sino en hacer que sea *santa*. Piensa en las palabras que Pablo les dijo a los efesios justo antes del mencionado pasaje:

Esposos, amen a sus esposas, así como Cristo amó a la iglesia y se entregó por ella *para hacerla santa*. Él la purificó, lavándola con agua mediante la palabra, para presentársela a sí mismo como una iglesia radiante, sin mancha ni arruga ni ninguna otra imperfección, sino santa e intachable. (Efesios 5:25-27, énfasis añadido)

¿Lo captaste? Cristo entregó su vida por la iglesia *para hacerla santa y sin mancha*. Aunque la felicidad es un gran don, la santidad es un regalo muchísimo mayor. Si aprendemos a ser más semejantes a Cristo en esta tierra, tendremos mayores recompensas eternas en los cielos.

El matrimonio nos ofrece una oportunidad increíble para hacernos más santos, más semejantes a Cristo. ¿Cómo? De dos maneras. La primera es a través de lo que mi pastor llama sesiones de santificación:

esas conversaciones o acontecimientos en el matrimonio que ponen de relieve nuestras fallas de carácter y nos llevan a cambiar para mejor. La segunda es a través del aprendizaje para ofrecerle a nuestro cónyuge el amor y la aceptación incondicionales que Cristo nos ofrece a pesar de nuestras imperfecciones. Este intercambio de misericordia es un elemento vital en el matrimonio. Puede ejercitar nuestros músculos espirituales de una manera extraordinaria, y nos proporciona una fuerza espiritual que va más allá de lo que somos capaces de desarrollar por cuenta propia.

Examinemos con más atención estas dos maneras.

El desarrollo de la santidad a través de las sesiones de santificación

Todas las mañanas, me maquillo y me arreglo el cabello frente al espejo que está sobre el lavabo del baño. Si quiero mirar cómo me veo de pies a cabeza, tengo que recurrir al espejo grande que está en nuestro dormitorio. Sin embargo, cada uno de estos espejos refleja solo mi apariencia física. Para ver la verdadera imagen de mi apariencia espiritual, necesito una clase de espejo diferente: un espejo humano.

Muchas veces, Greg hace las veces de un espejo de cuerpo entero en mi vida, al señalarme los vergonzosos defectos espirituales como la impaciencia, el orgullo, la avaricia y el egoísmo, cosas que casi nunca veo en mí hasta que me doy cuenta de que las ve *él*. Cuando mi esposo me hace notar con buenos modos estos problemas, nuestro matrimonio puede parecerse a un fuego refinador. Estos problemas crean un calor espiritual increíble y sacan las impurezas a la superficie para que queden expuestas a plena vista. Cuando sucede esto, puedo ser obstinada y negarme a tratar los problemas, fingiendo que no existen, o puedo pedirle a Dios, con humildad, que me ayude a quitar de mi vida estas impurezas para ser refinada y poder reflejar la perfección de Cristo con más precisión.

Aunque todos detestamos ver la fealdad en nuestra vida, las sesiones de santificación nos pueden mostrar cómo podemos crecer en lo espiritual y profundizar los niveles de la santidad personal. Cuando nos esforzamos por tener un comportamiento más semejante al de Cristo, les decimos en esencia a nuestros cónyuges y a Dios:

«Mereces lo mejor, así que lo intentaré con más fuerzas». Esta actitud los honra a los dos.

Gary Thomas, el autor de *Matrimonio sagrado*, acepta que en el matrimonio nuestras fallas resultan más visibles de una manera que quizá nunca antes haya sido visible para nosotros y, por lo tanto, pueden guiarnos a un lugar más santo del que hayamos estado jamás. Explica:

> Nuestro objetivo fundamental al entrar en el matrimonio no debe ser la realización, la satisfacción emocional, ni la alimentación romántica, sino ser más semejantes a Jesucristo. Debemos aceptar la realidad que nuestras fallas quedarán expuestas ante nuestro cónyuge y que, por lo tanto, quedarán expuestas ante nosotros también. El pecado no parece tan escandaloso cuando solo lo conocemos nosotros; cuando lo vemos en otro, se magnifica diez veces más. El celibato puede «esconder» la frustración al quitarla de en medio, pero la mujer o el hombre casado no tiene un verdadero refugio. Es difícil ocultar cosas cuando se comparte la misma cama [...]
>
> No me sorprendería que muchos matrimonios terminen en divorcio debido, en gran parte, a que uno de los cónyuges o los dos huyen de las propias debilidades que salen a luz, tanto como de algo que no pueden tolerar en el otro[1].

Por cierto, muchos divorciados huyen de su primer matrimonio y pasan por el segundo o el tercero y descubren que sus propias debilidades los persiguen relación tras relación. Hasta que no tratemos esas debilidades y fallas de carácter, nunca seremos felices en una relación, sobre todo porque nunca estaremos felices con nosotros mismos. No obstante, si aprendemos a ver nuestro pecado a través de los ojos de nuestro cónyuge (y los de Dios), es probable que descubramos el incentivo necesario para perseguir un cambio positivo.

Cuando reconozco la magnitud de mi propio pecado (como rabietas, egoísmo y tantas otras cosas) a través de los ojos de Greg, estas cosas se me hacen más reales que nunca, y no me gusta lo que veo. Me esfuerzo por no repetir ese pecado, no solo por agradar a Dios y evitar la autodestrucción, sino también para evitar que Greg me vea en esa condición pecaminosa. Entonces, trato de morderme la lengua y de no estallar con enojo o, al menos, trato de suavizar el tono para no ofenderlo con mis palabras. Intento concentrarme más en atender sus necesidades que en tratar de manipularlo para que satisfaga las mías. Con respeto, le comunico lo que necesito de él, a fin de que podamos entendernos, no tanto con una actitud de expectativa. En esencia, intento concentrarme en tratarlo más como Cristo lo haría si viviera en nuestra casa. A medida que me vuelvo más semejante a Cristo en mis acciones y actitudes, me vuelvo más santa y estoy más contenta conmigo misma.

El matrimonio no solo puede ayudarnos a encontrarnos cara a cara con nuestros pecados y, de esa manera, a inspirarnos a luchar por la santidad personal, sino que también nos ofrece la oportunidad de ser semejantes a Cristo en cómo respondemos a los pecados de nuestros esposos.

El desarrollo de la santidad a través del amor incondicional

¿Cuál es el mayor regalo que tú y tu cónyuge se pueden entregar? ¿Una casa más grande? ¿Un auto más bonito? ¿Un día para ti sin los niños ni las responsabilidades del hogar? Es probable que la lista de posibilidades mida un kilómetro, pero existe algo que se pueden ofrecer el uno al otro que es mucho más valioso que cualquier otra cosa. ¿Cuál es ese regalo? El mismo regalo supremo que Dios nos dio por medio de Cristo Jesús: amor y aceptación incondicionales a pesar de nuestra naturaleza pecadora.

Así como Jesús entregó su vida por su esposa (la iglesia), Él nos pide que entreguemos nuestra vida por el bien de nuestro cónyuge. Nos pide que amemos a nuestro esposo como Él nos ama a nosotras. En 1 Juan 3:16 encontramos: «En esto conocemos lo que es el amor: en que Jesucristo entregó su vida por nosotros». Nos enseñó a amar de manera incondicional, no «hasta cuando sienta deseos de hacerlo» o «en tanto lo merezcas». Por lo que nos dicen sus palabras, no puedo pensar que Jesús *tenía deseos* de morir por nosotros aquel día: «Padre mío, si es posible, no me hagas beber este trago amargo. Pero no sea lo que yo quiero, sino lo que quieres tú» (Mateo 26:39). Sin embargo, decidió obedecer para que conociéramos el eterno compromiso de amor de Dios hacia nosotros.

El amor temporal o condicional no está en sí en la naturaleza de Dios. Por lo tanto, los compromisos matrimoniales temporales o la aceptación condicional en nuestro matrimonio terrenal no es un reflejo suficiente de lo que quiere Dios. Al permanecer comprometidos con el matrimonio durante toda la vida, recibimos un anticipo de lo que será el cielo cuando disfrutemos del fiel amor de Dios a lo largo de la eternidad.

El esposo de Cathy le dio el generoso regalo del amor incondicional y su misericordia la inspiró a salir de las relaciones adúlteras para perseguir un estilo de vida más santo por el bien de su matrimonio. Esto es lo que escribió en un correo electrónico con respecto a la respuesta que tuvo su esposo ante el pecado de ella:

Luego de tener diversas aventuras amorosas, supe que nunca llegaría a experimentar una intimidad genuina con mi esposo hasta que se las confesara. Aunque sabía que mi adulterio le daba a Brad todo el derecho para divorciarse, ya no podía seguir llevando una doble vida. Dos meses después de mi última aventura amorosa, estaba abrumada por la culpa y una sensación de que era imperdonable. Mientras viajábamos en el auto, gemía debido al dolor que me producía mi pecado. Brad estacionó a un lado y no hizo otra cosa más que abrazarme durante largo rato. Cuando regresamos a casa, me llevó a nuestro baño y me ofreció realizar una «ceremonia de limpieza» que me ayudara a aliviarme de la culpa. Encendió una vela, llenó la tina con agua tibia y quitó la ropa que cubría mi tembloroso cuerpo. Me ayudó a entrar en la tina, me lavó con suavidad, vertió agua sobre mi cabeza e hizo que sintiera, por primera vez, que de verdad me habían limpiado y perdonado. Aunque nos estamos ocupando de la restauración de la confianza, el amor incondicional de Brad es una cuerda de salvamento que me mantiene luchando por ser la persona que quiero ser en realidad.

Tal vez estés pensando: *Es grandioso que Cathy pueda tener esa clase de relación con su esposo, pero el mío no es tan comprensivo ni perdonador.* No cuento este testimonio para que envidies la posición que otro tiene como receptor de semejante misericordia y amor incondicionales. Lo cuento para inspirarte a *ofrecer* esta clase de misericordia y amor incondicionales.

A lo mejor, el testimonio de María sobre cómo respondió al pecado de su esposo pintará en tu mente un cuadro más vívido de cómo debería ser esa misericordia:

Un domingo por la tarde, mi esposo dormía la siesta y se acercaba la hora de regresar a la iglesia para una cena informal. Entré de puntillas a nuestro dormitorio con la intención de despertarlo con suavidad, pero quedé descorazonada al descubrirlo masturbándose frente al estímulo de una revista pornográfica. De repente, algunas cosas empezaron a tener sentido, en particular, por qué no había iniciado una relación sexual en semanas y por qué me había rechazado cuando yo había tratado de iniciarla. Supuse que el estrés del trabajo era la causa de su desinterés. La expresión de su rostro me dijo que lo afligía la culpa y el remordimiento. No tuvimos tiempo para hablar mucho del asunto hasta mucho más tarde esa noche, pero mientras tanto, el Señor obraba de verdad en mi corazón. Dios me recordó que Michael es solo humano, y me decidí a darle la misma misericordia y el mismo perdón que me hubiera gustado recibir de él si me hubiera descubierto en pecado. Le expresé mi dolor, pero también mi perdón tan pronto como pude. Esto hizo que Michael se sintiera lo bastante seguro como para franquearse y contarme que había tenido esta lucha desde su adolescencia, y para decirme cuánto deseaba serme fiel en lugar de tener tal comportamiento. Asistió a un taller de *La batalla de cada hombre* y sigue viendo a un terapeuta. De vez en cuando le pregunto cómo le va con la permanencia en la victoria, pero no le molesta mi pregunta porque sabe que la hago con un espíritu de apoyo. No solo veo avances en nuestro dormitorio (con un restaurado interés en nuestra vida sexual), sino en todas las demás partes de nuestra relación. Esta situación pudo haber destruido nuestro matrimonio, pero en vez de eso le ha devuelto la vida al final.

Creo que debido a la misericordiosa respuesta de María, la calidad de su relación matrimonial mejoró, a fin de cuentas, en lugar de deteriorarse. Si hubiera lanzado toda la condenación, dudo que su esposo hubiera respondido con tanta humildad. La Escritura nos dice que la *bondad* de Dios es la que lleva al arrepentimiento (lee Romanos 2:4). Al comportarse como Dios lo hubiera hecho, al responder de manera bondadosa, preocupada por su esposo, el corazón de María no se endureció en su contra. Su respuesta también creó un corazón tierno en su esposo que se arrepintió y buscó sanidad. ¡Ojalá todas las luchas matrimoniales terminen de esta manera! ¡Ojalá que la conducta de ambos cónyuges los lleven a un nivel mayor de santidad personal y de paz en la relación!

Por supuesto, es probable que el pecado que una esposa o un esposo deba perdonar no sea algo tan grave como lo que hemos mencionado hasta aquí. Algunas veces, los «pecaditos» son los que causan amargura y resentimiento como para construir una muralla entre los cónyuges, y esto es lo que impide que tanto uno como el otro busquen la santidad personal debido a sus corazones endurecidos. ¿Cómo se pueden derribar esas paredes para convertirlas en puentes que nos conecten? Con los ladrillos de la misericordia y el amor incondicional.

Aquí tenemos el ejemplo de dos mujeres que han tenido que implementar estas estrategias de construcción de puentes:

✳ «Como los dos trabajamos a tiempo completo, mi esposo y yo nos turnamos para buscar a los niños cuando salen de la escuela. En el último año, en dos oportunidades se olvidó que era su turno y dejó a nuestros hijos abandonados en el porche de la escuela. Mi instinto de «mamá osa» deseaba despedazarlo por ser tan olvidadizo, pero antes de estallar, recordé cuántas veces me olvido recoger la ropa de la tintorería o algo que necesitamos del supermercado. Estamos de acuerdo, la ropa y las provisiones no son ni remotamente tan importantes como los hijos, pero todos tendemos a olvidar algo de vez en cuando. Mi esposo les pidió perdón a nuestros hijos y ellos se lo dieron sin problema. Entonces, yo he decidido hacer lo mismo, en lugar de permitir la división entre nosotros».

✳ «Debido a mis antecedentes en contabilidad, desde el comienzo de nuestro matrimonio acordamos que yo manejaría las finanzas. Sin embargo, algunas pocas veces nuestra cuenta corriente quedó sobregirada debido a que Norman no me dijo que había hecho una transacción significativa en un cajero automático. Estos errores nos han costado cerca de cien dólares de multa por sobregiros. A ninguno de los dos nos alegra, pero la armonía en nuestra relación vale mucho más para mí que cien dólares».

Sin dudas, nos desalentamos cuando nuestros esposos nos desilusionan. Puede resultar frustrante que no estén a la altura de nuestras expectativas. Cuando descubrimos que tienen lados oscuros que no conocíamos, puede resultarnos horroroso. Por otra parte, también es humillante confesar que tenemos serias fallas de carácter, que luchamos con cuestiones pecaminosas o que no podemos vivir a la altura de ciertas expectativas que tienen nuestros esposos con respecto a nosotras. Sin embargo, en estos momentos los dos tenemos que hacer una elección: podemos tomar la decisión de que las cosas se *amarguen* con resentimiento y condenación, o podemos decidir que las cosas *mejoren* al poner de manifiesto los rasgos del carácter de Dios de amor incondicional y aceptación.

El camino más positivo que nos lleva a la santidad

Dios desea que nos esforcemos por ser santos (separados para sus buenos propósitos). ¿Por qué? *Porque Él es santo* (lee 1 Pedro 1:13-16). En otras palabras, quiere que lleguemos a ser como Él. Cuanto más nos parecemos a Él, más lo glorificamos y, como resultado, los demás se sienten más atraídos hacia Él. Aun así, no podemos esforzarnos por la santidad personal si no lo hacemos por responder ante las personas y las circunstancias como responde Dios. No existen los atajos para llegar a la santidad. No podemos actuar como se le ocurra a nuestra carne y esperar que nuestro espíritu se vea fortalecido. Debemos tomar el curso más positivo y esforzarnos por actuar de manera más semejante a Dios y menos semejante a nuestra naturaleza pecadora, en especial, frente a las luchas matrimoniales.

Para tomar este curso positivo hacia la santidad y para decidirnos a amar de manera incondicional como nos ama Dios a nosotros, a menudo debemos aprender a distinguir entre la persona a la que amamos y el comportamiento que detestamos.

Es probable que hayas escuchado decir que debemos odiar el pecado, pero amar al pecador. Esto puede llegar a significarte una verdadera lucha. Por cierto, no eres la única persona a la que esto le resulta difícil. Separar al pecador del pecado puede ser un verdadero ejercicio espiritual, incluso para las personas más santas. C.S. Lewis confesó que también tenía luchas para amar al pecador a la vez que odiaba el pecado. De repente un día, a Lewis se le hizo claro:

> Pero años después se me ocurrió que existía un hombre con quien había estado haciendo eso toda la vida: yo mismo. Por mucho que pueda aborrecer mi cobardía, mi presunción y mi avaricia, sigo amándome a mí mismo. Nunca me he tropezado con la menor dificultad para hacerlo. Es más, odiaba los hechos porque amaba a la persona. Como me amaba a mí mismo, me entristecía que yo fuera el hombre que hacía tales cosas[2].

Lewis expone un gran argumento. Si podemos amarnos a nosotros mismos a pesar de nuestro pecado, de seguro que, con la ayuda de Dios, podemos encontrar la manera de brindarle el mismo amor incondicional y la misma misericordia a los demás, en especial a nuestro cónyuge. Con esto, hacemos que nuestros hogares sean mejores lugares donde vivir y mejoramos la sociedad en su conjunto al mismo tiempo. Después de todo, los hogares y la sociedad se

vuelven más santos cuando los individuos se dedican por completo a
la búsqueda de la santidad.

Examinemos las excepciones

Tal vez, estés leyendo este libro como un último esfuerzo desesperado por tratar de hacer que las cosas resulten antes de darte
por vencida y te estés preguntando: *¿Dios permite el divorcio?* Los
fariseos de los días de Jesús se preguntaron lo mismo. En Marcos
10:2-9, plantearon la pregunta:

> —¿Está permitido que un hombre se divorcie de su
> esposa?
> —¿Qué les mandó Moisés? —replicó Jesús.
> —Moisés permitió que un hombre le escribiera un
> certificado de divorcio y la despidiera —contestaron
> ellos.
> —Esa ley la escribió Moisés para ustedes por lo
> obstinados que son —aclaró Jesús—. Pero al principio
> de la creación Dios "los hizo hombre y mujer". "Por
> eso dejará el hombre a su padre y a su madre, y se unirá
> a su esposa, y los dos llegarán a ser un solo cuerpo".
> Así que ya no son dos, sino uno solo. Por tanto, lo
> que Dios ha unido, que no lo separe el hombre.

Aunque no cabe duda de que Dios no desea el divorcio para
ninguno de sus hijos, Jesús reconoce que hay concesiones. Pienso
que reconoce tales concesiones porque no desea ver que sus hijos
se lastimen sin cesar. La mayoría de los teólogos y los terapeutas
concuerdan en que existen tres excepciones legítimas en el
compromiso matrimonial: el abuso, el adulterio y la adicción.

Antes de tomarte estas concesiones como una excusa para
presentar una demanda de divorcio, por favor, ten en cuenta
lo que diré a continuación. No me enorgullece decirlo, pero
fui culpable de las tres: el abuso verbal, el adulterio emocional

y la adicción a las relaciones. Recuerdo varios momentos en nuestro matrimonio en los que Greg hubiera tenido todo el derecho de ponerme de patitas en la calle y dar un portazo a mis espaldas. Sin embargo, nunca lo hizo. Soy una prueba viviente de que la misericordia, el amor incondicional y el compromiso semejante al de Cristo de un cónyuge pueden cambiar, de verdad, el corazón y la vida de una persona, de tal manera que exista esperanza de una relación matrimonial armoniosa.

Esto no quita que si un hombre es golpeador y temes por tu seguridad, no debas hacerte a un lado para prevenir los daños. Si no está arrepentido de ser mujeriego y esto te pone en riesgo de contraer una enfermedad de transmisión sexual, no creemos que Dios te obligue a seguir en ese matrimonio. Si tu esposo tiene una adicción a las drogas o al alcohol que lo convierte en una amenaza peligrosa para él mismo o para los demás, puede ser necesario un «amor severo» para despertarlo y hacer que busque ayuda.

No obstante, antes de decidir que tu esposo es un caso perdido, considera en oración que tienes el poder de darle un regalo que, tal vez, influya para un cambio total. Si respondes al pecado de tu esposo con misericordia y amor incondicional (y tratas con el tuyo), creo que tienes todas las probabilidades de experimentar el milagro matrimonial que experimentamos Greg y yo, como muchos otros.

Una sociedad sagrada requiere una institución sagrada

Dios diseñó la institución del matrimonio no solo como un medio de traernos bienestar, sino como la base misma de la sociedad. El matrimonio no es un acuerdo temporal que hacemos según nuestra conveniencia y para satisfacer intenciones egoístas. Es un compromiso para toda la vida que requerirá sangre, sudor y lágrimas, contra viento y marea. Cuando nos casamos, le entregamos toda nuestra vida a nuestro cónyuge, en las buenas o en las malas, en riqueza o en pobreza, en salud o en enfermedad, para cuidarlo y amarlo, hasta que la muerte nos separe.

El matrimonio es una relación sagrada que deberíamos valorar por encima de todas las demás y que deberíamos conservar durante toda la vida. En esta relación sagrada y preciosa es donde podemos practicar para ser más santos, ejercitando nuestros músculos espirituales para llegar a ser más semejantes a Cristo.

el ministerio del matrimonio

A los pocos años de casada, me deleitaba con orgullo en diversos ministerios. Prestaba servicio como pastora de jóvenes. Como tal, dirigía campamentos de verano para jóvenes y preparaba sus contenidos, conducía un estudio bíblico para muchachas adolescentes, hablaba en retiros dedicados a la educación de la abstinencia y participaba de varios comités en nuestra iglesia.

Aunque Greg fue consejero de jóvenes en la iglesia cuando nos conocimos, me di cuenta que, en ese momento, no participaba de ningún ministerio que no fuera la asistencia a la iglesia y a la Escuela Dominical. Por más que trabajaba cincuenta horas a la semana como interventor financiero de uno de los mayores hospitales cristianos sin fines de lucro de Dallas, suponía que eso era un trabajo, no un ministerio. Me parecía que haraganeaba en su servicio a Dios y que necesitaba parecerse más a mí. Un día, tuve la audacia de acercármele para decirle: «Cariño, parece que no tienes tu mente tan puesta en el ministerio como yo. ¿A qué se debe?».

Me miró a los ojos y me contestó: «Shannon, cuando nos casamos, Dios me dijo que *tú* debías ser mi ministerio exclusivo hasta que me dijera otra cosa, y aún no me ha dicho que cambie de dirección». ¡Ay! Una vez más, la verdad me dolió. Yo *era* el ministerio a tiempo completo de Greg y, con la confusión mental que tenía en ese entonces, lo necesitaba. Si sus esfuerzos hubieran estado dirigidos hacia cualquier otra parte, es probable que me hubiera sentido más desesperada por buscar cuidado y afecto para mis necesidades emocionales en relaciones extramatrimoniales malsanas. Además, estaba en condiciones de buscar la sanidad y de explorar el llamado de Dios a mi vida. Greg trabajaba duro para sostener a nuestra familia, y así me daba completa libertad para participar en las actividades de la iglesia, en el estudio de la Palabra de Dios, para ver a un terapeuta cuando fuera necesario, alcanzar mi maestría, escribir y enseñar.

Durante la primera década de nuestro matrimonio, Greg sintió que debía darme el ejemplo de que el matrimonio es un ministerio y que merece mucha atención. Escribe:

> Muchos oran diciendo: «¡Señor, dame un ministerio! ¡Muéstrame qué puedo hacer por ti!», mientras la respuesta se encuentra justo debajo de sus narices. Así es, el mundo necesita a Jesús, pero nuestros cónyuges e hijos necesitan con urgencia ser los receptores primarios de los esfuerzos de nuestro ministerio. Si salvamos al mundo pero perdemos nuestro matrimonio o nuestra familia en el proceso, ¿qué efecto tiene esto en nuestro testimonio? ¿Podemos hacer más en realidad por los otros de lo que podemos hacer por los que viven bajo nuestro propio techo? Como esposos y esposas, como padres y madres, tenemos el poder de ministrarles a nuestras familias como ningún otro puede hacerlo.

Démosle una mirada a las tres maneras principales en las que una esposa puede ministrarle a su esposo: sacar lo mejor de él, poner sus necesidades antes que las propias y darle lo mejor de su tiempo.

Saquemos lo mejor el uno del otro

La Escritura nos dice: «La discusión amistosa es tan estimulante como las chispas que saltan cuando se golpea hierro contra hierro» (Proverbios 27:17, LBD). De todas formas, el proceso para afilar tanto al hierro como a la gente requiere fricción. En el matrimonio, a menudo nos encontramos con asperezas que deben suavizarse o formas toscas que se deben afilar, tanto en nuestro cónyuge como en nosotras. El problema es que algunas parejas confunden *afilar* con *apuñalar*. Puede erigirme en jueza sin misericordia ante lo que percibo como fallas en Greg, pero con un esfuerzo conjunto, puedo animarlo con amor a vencer esas faltas y a convertirse en el mejor hombre, en el mejor esposo y en el mejor padre. Muchas veces, la diferencia entre erigirme en jueza o alentar es solo una cuestión de las palabras que escojo. Por favor, analiza el siguiente cuadro comparativo para algunos ejemplos.

¿Qué me dices de ti? ¿Tienes la tendencia a apuñalar a tu esposo con juicios o a afilarlo con el aliento? ¿Siempre puedes pensar bien de él aun cuando no estés de acuerdo con sus acciones o con una decisión que toma? ¿Puedes exponer tus preocupaciones con calma y sin menoscabarlo? Si es así, él te verá como un precioso regalo de Dios, una verdadera amiga y una valiosa ayuda.

Por otra parte, ¿estás dispuesta a conversar sobre lo que él percibe como debilidades en ti de modo que puedas convertirte en la persona que desea Dios que seas? ¿Tu espíritu es lo bastante humilde como para admitir tus fallas delante de tu esposo y pedirle su guía y sus oraciones para recibir fortaleza?

Si tratamos a nuestros esposos como si diéramos por hecho lo peor de ellos, por lo general, recibimos eso: lo peor. Sin embargo, cuando siempre esperamos lo mejor de alguien, es asombroso ver cómo eso es justo lo que sale a la superficie: lo mejor del carácter de esa persona.

Además de sacar lo mejor el uno del otro, en el matrimonio también se deben colocar los intereses de nuestro cónyuge por encima de los propios.

Sus necesidades antes que las nuestras

Hace varios años, durante nuestro primer viaje misionero a Honduras, nuestra familia aprendió una lección increíble acerca del verdadero servicio. Nuestro equipo se había preparado para bendecir a un orfanato para niñas mediante la construcción de un alojamiento adicional, un camino de concreto y la instalación de un laboratorio de computación donde podían adquirir valiosos conocimientos. Sentíamos que éramos muy «altruistas», ya que nos habíamos tomado un mes entero de nuestras ajetreadas vidas, y no veíamos la hora de enviar el boletín informativo con las fotos que les mostraran a los demás cómo habían cambiado las cosas gracias a nuestro trabajo.

Al bajar del autobús el primer día, con las cámaras en mano, el líder del equipo nos llevó a Greg y a mí a un costado y dijo: «Nunca saquen fotos el primer día. Para eso habrá tiempo de sobra cuando termine el viaje». Nos quedamos estupefactos. *¿Qué problema hay?*, nos preguntamos. Más tarde esa noche, nuestro líder tuvo la oportunidad de explicar: «Deben establecer una relación con esta gente antes de sacar fotos o, de lo contrario, se sentirán como si fueran tan solo una marca más en su cinturón misionero». *Vaya.* No lo habíamos visto desde ese punto de vista. Nos sentimos mal al pensar que, a pesar de que nuestra intención era *servirlos*, nuestras acciones indicaban que queríamos que ellos satisficieran *nuestras* necesidades primero: nuestra necesidad de una buena foto para el boletín que les enviaríamos a nuestros amigos.

Palabras de juicio	Palabras de aliento
«Bueno, ya era hora de que llamaras. No soporto que no llames en todo el día».	«Debes estar muy ocupado hoy, pero me alegra mucho que encontraras un momento para llamar. Extraño tu voz».
«Si de verdad amaras a Dios y a esta familia, ¡no harías semejante cosa!».	«Por mucho que ames a Dios y a tu familia, debe resultarte muy difícil luchar contra este problema».
«Te conozco, lo más probable es que no termines este proyecto, ¿para qué molestarse entonces?».	«Sé que esto no es lo que mejor sabes hacer, así que estoy orgullosa de que trates de resolverlo por ti mismo».
«Esto es muy propio de ti, siempre haces cosas para los demás y dejas a tu familia en último lugar».	«Pienso que es maravilloso que quieras ayudar a esta persona. Sin embargo, antes de que te comprometas, ¿podemos conversar acerca del efecto que podría tener en el tiempo que pasamos juntos como familia?».

¿No es lo que muchos de nosotros hacemos en el matrimonio? Servimos a nuestro esposo, pero en verdad solo es más un astuto ardid para que, a la larga, se satisfagan nuestras necesidades. Aunque no está mal querer que se satisfagan nuestras necesidades, el servicio genuino es satisfacer las necesidades de la otra persona sin segundas intenciones egoístas. En el matrimonio, no se trata tanto de recibir como de dar.

Hace poco tiempo, tuve que recordarlo. ¿Recuerdas la historia del capítulo 2 donde le di a Greg un tiempo extra en el trabajo antes de partir hacia el retiro para escribir y luego le llevé la cena durante toda la semana siguiente mientras tuvo que trabajar hasta tarde varias noches seguidas? Debo confesar que no tardé en comenzar a esperar que me devolviera del mismo modo un favor tan grande. En esa época, usaba por el momento una oficina cerca de la de Greg, mientras remodelaban nuestra casa. Cuando regresaba de almorzar un día, a la entrada del edificio de oficinas se había estacionado la camioneta de una florería. «¿Usted trabaja aquí?», me preguntó la conductora cuando pasé a su lado.

Cuando le respondí que sí, me preguntó si podría entregar unas flores al entrar al edificio. De la parte de atrás de la camioneta sacó un precioso ramo de mis flores favoritas: azucenas perfumadas, rosas rosadas, bocas de dragón violetas y blancas, y muchas más. Lo primero que pensé fue: *Vaya, qué irónico que me pida que yo entregue esto, porque pienso que son para mí*. Sin embargo, cuando miré la tarjeta, el ánimo se me fue al suelo cuando leí *Jacke Ellis* y no *Shannon Ethridge*.

Esa noche, me di cuenta de que mi corazón no sentía ni la mitad del cariño hacia Greg de lo que sentí la semana anterior. Con el fin de no estar demasiado rezongona, me deslicé dentro de la tina de baño para relajarme antes de la cena. Me pregunté por qué estaba de tan mal humor, así que me di cuenta de que todavía estaba desilusionada porque esas flores no fueron para mí. Me parecía que, *otra vez*, Greg no se preocupaba demasiado por satisfacer mis necesidades emocionales. Entonces, me di cuenta de que esperaba algo a cambio por todo lo que hice por él. Si bien era cierto que me había expresado su gratitud a lo largo de toda la semana, las flores hablan más fuerte que las palabras. A pesar de todo, mientras seguía sumergida en la tina, decidí no estar más enfurruñada. Le pedí a Dios que se llevara cualquier expectativa que estuviera siendo un obstáculo para mi servicio desinteresado hacia Greg y que me ayudara a amar a mi esposo por lo que es en lugar de amarlo por los favores que me devuelve. Estuve en condiciones de dejar de lado mis expectativas y disfrutar de una cena relajada y una velada divertida jugando con mi esposo y con mis hijos, lo cual fue un regalo mucho mayor que cualquier ramo de flores.

El servicio desinteresado y el verdadero ministerio dirigido a nuestros esposos requiere también que demos otro regalo, el regalo increíble del tiempo de calidad.

Dale tu mejor tiempo

El tiempo es algo de mucho valor que casi nadie puede perder. En estos días en los que tanto hombres como mujeres desarrollan sus carreras y en los que las madres tienen más obligaciones de las que pueden cumplir, no nos sorprende que el exceso de compromisos sea uno de los principales asesinos de la intimidad. Las quejas que las mujeres atareadas tienen en cuanto a su salud han llevado a la comunidad médica a acuñar un nuevo término llamado «Síndrome de la mujer atareada». La mujer que padece este síndrome puede experimentar aumento de peso, bajo libido, cambios de humor y fatiga. Los médicos creen que estos síntomas responden al estrés de hacer demasiadas cosas, de abarcar mucho y apretar poco, de sentirse abrumada por no lograr todo lo que se debe y resentirse cada vez más ante las expectativas de los otros. A la larga, todo esto puede llevar a la hostilidad y la depresión[1].

Hace varios años, cuando mis hijos se encontraban en edad preescolar, tomé una de las decisiones más difíciles que tomara jamás, pero creo que evitó que cayera presa de este síndrome. Quería comenzar a asistir a una o dos clases para empezar a trabajar con el objetivo de obtener una maestría en orientación terapéutica. La universidad más cercana era una de gran prestigio y muy costosa, y una amiga del personal docente me alentó a que presentara una solicitud pidiendo una beca. A las pocas semanas, me notificaron que me habían otorgado una beca del cien por cien que cubría tanto las clases como los libros. Había una sola trampa. Para acceder a la beca debía asistir *a tiempo completo*. Greg comprendió que esto era un gran honor y sabía cuánto deseaba obtener este título, así que dijo que, de alguna manera, le encontraríamos la solución. Sin embargo, a los pocos días, mientras le expresaba mi gratitud a Dios, oí con claridad que me decía: *No vayas. Ahora no es el momento.* La primera reacción que tuve fue cuestionar la cordura de Dios. «¿Quieres que renuncie a una beca del cien por cien, Señor? ¿No es un regalo de tu parte?» Sentí que me respondía con dulzura: *Sí, yo te lo di, pero te estoy pidiendo que me lo devuelvas. ¿Confías en que puedo cumplir este sueño cuando el momento sea más apropiado?* También tuve una visión en mi mente de una mamá pájaro que dejaba a sus pichones en el nido. Sabía que Dios me decía que nuestra familia era demasiado joven como para que me embarcara en este esfuerzo.

A los cuatro años, mi hijo menor comenzó el jardín de infantes y Dios me dio luz verde para comenzar a trabajar en mi maestría, a través de una universidad que ofrecía un programa de aprendizaje a distancia donde podía ver las clases en vídeo en mi casa, en lugar de viajar hasta el salón de clases varias veces a la semana. Aunque tuve que esperar cinco años para obtener el título y nos costó muchísimo dinero, no me arrepiento de haber rechazado aquella beca durante ese período de nuestra vida.

Los ministerios de escritura y de enseñanza que tengo, también requieren una enorme cantidad de tiempo y energía. No ha sido fácil equilibrar el matrimonio y la maternidad con el ministerio. He tenido que coordinar mis esfuerzos para escribir durante el día, mientras mis hijos están en la escuela, a fin de poder separar el tiempo de trabajo con el tiempo para la familia. Greg y yo programamos citas por la noche o caminatas para conversar, con el objetivo de poder permanecer conectados en lo emocional. Algunas veces, uno de los dos debe viajar y deja al otro desempeñando, durante un tiempito, el papel de madre y padre. Con una estricta moderación, esto puede ser bueno, porque la ausencia puede hacer que nuestros corazones se enternezcan a medida que deseamos cada vez con mayor intensidad que regrese nuestro cónyuge (y nuestros corazones están más agradecidos por las muchas contribuciones que hace el otro en la crianza de los hijos y los quehaceres del hogar). Sin embargo, los dos hemos aprendido que no podemos dejar nuestro matrimonio en suspenso durante mucho tiempo sin que uno de los dos comience a sentirse ofendido. Cuando son muchas las noches que se prolongan en la oficina, cuando son muchas las noches en la cocina con el mensaje «Arréglatelas por tu cuenta», y demasiadas las respuestas «Oye, cariño, esta noche estoy cansada de verdad», la vida de nuestro hogar se ve descuidada y sufren nuestras relaciones.

Hace poco, recibí un correo electrónico que ofrecía otro gran ejemplo de cómo, muchas veces, podemos olvidar que nuestros esposos anhelan tiempo de calidad con nosotras. Según Tina, su exceso de ocupación hizo que el corazón de su esposo se enfriara con el tiempo. Participaba de una agrupación de Madres de Preescolares, en la que cuidaba niños, tenía grupos de juego, se ocupaba de la biblioteca, la guardería de la iglesia y otros comités cristianos. A veces, se encontraba sin fuerzas y se sentía frustrada porque su esposo, Chris, no compartía más responsabilidades en la casa. Aun así, Chris también se sentía frustrado debido a la falta de energía y disponibilidad de Tina. Ella admite:

> Es lamentable, pero los dos éramos demasiado perezosos para sacar el problema. Día tras día, dábamos la impresión de que todo estaba bien, de que éramos una pareja armoniosa. Con todo, noche tras noche pasábamos las veladas cada vez más distanciados el uno del otro. Suponía que lo que debía hacer era «tragarme» lo que me irritaba y ser la persona mayor. Entonces, ¿qué sucedía si mi esposo pasaba todo el tiempo antes de ir a dormir jugando en la computadora y olvidaba por completo que le había pedido que se preparara el almuerzo (porque yo no tenía tiempo)? Lo único que tenía que hacer era asegurarme de levantarme un poquito más temprano para prepararlo, por supuesto, con bastante resentimiento hacia él.

> Por otra parte, mi esposo se sentía cada vez más frustrado de que yo no estuviera disponible. Demasiadas veces me encontraba en el teléfono luego de la cena. A mi modo de ver, solo me ocupaba de mi trabajo, pero él se sentía ofendido y descuidado. Así que recurría a alguna

otra cosa, como los juegos de la computadora o la televisión. Una vez que yo colgaba el teléfono o terminaba con mi trabajo, lo encontraba haciendo lo suyo, así que me sumergía en un libro o en alguna otra actividad. Nos concentrábamos de continuo en nosotros mismos, pensando solo en que el otro no satisfacía nuestras necesidades.

El testimonio de Tina trae un buen punto a colación: muchos esposos quieren disfrutar de un tiempo de calidad con sus esposas, pero nosotras tenemos que estar disponibles para que eso suceda. Es probable que tu esposo no te pida que lo incluyas en la agenda de tu día, pero se sentiría valorado si dejaras en segundo plano las llamadas telefónicas, los correos electrónicos y las tareas de la casa para que juntos puedan disfrutar de un tiempo sin interrupciones.

Por supuesto, no se necesita una carrera, la búsqueda de una educación, ni actividades fuera de la casa para hacer que la esposa ponga a su esposo en espera. Algunas mujeres permiten que sus hijos consuman tanta cantidad de su tiempo personal y de su energía que no les queda nada para los padres de esos hijos. Muchos hombres se sienten como Karl, que escribió el siguiente correo electrónico:

Creo que mi esposa es una madre grandiosa, pero debo admitir que puedo sentir bastante celos del tiempo y la atención que les da a nuestros hijos. Trabaja fuera de casa para que estemos en condiciones de permitir que nuestros hijos participen de muchas actividades extracurriculares. Entre llevar a nuestros hijos y a los de otros a las clases de *ballet*, piano, canto, a las prácticas de fútbol, de taekwondo, a los niños exploradores, sumado a todas las veces que se ofrece como voluntaria para estar en sus clases, parece que sus tardes, sus noches y fines de semana están colmados con las actividades de los niños. Lo malo es que estos serían los únicos momentos en los que podríamos estar juntos ya que los dos trabajamos todo el día. Siento que, como resultado, nuestra relación sufre, pero temo que mi familia piense que soy egoísta si separo a mi esposa de mis propios hijos para obtener el tiempo de calidad que anhelo.

Aunque todas queremos ser madres maravillosas que pasamos mucho tiempo con nuestros hijos, no podemos hacerlo a expensas de nuestro matrimonio. Debemos tener cuidado de no convertir a nuestros hijos en ídolos, inclinándonos ante el menor capricho y permitiendo que absorban toda nuestra vida.

Uno de los mayores regalos que los padres les pueden dar a sus hijos es enseñarles que el mundo no gira a su alrededor. Debemos inculcarles la importancia de una vida equilibrada (para todos en la familia) y demostrarles que los padres necesitan su tiempo de calidad juntos y a solas. Por lo tanto, de vez en cuando, deja a los niños en casa con una niñera y sal con tu esposo. Limita sus actividades extracurriculares a un deporte o una actividad cultural, como las lecciones de música o danza. Entre la escuela, la iglesia, la Escuela Dominical, el grupo de jóvenes y una actividad extracurricular, tienen mucha interacción social. Cuando limitas sus actividades, ahorras tiempo y dinero a la vez porque no te encuentras transportando a tus hijos hacia todas las actividades que existen bajo el sol.

Al luchar para que tu matrimonio sea una de tus máximas prioridades, harás una inversión increíblemente valiosa.

No hay otra inversión mayor

Imagina todas las relaciones importantes de tu vida y cuánto tiempo les dedicas para disfrutarlas. Solo una seguirá constante durante toda la vida: la relación con tu esposo. Décadas de vivir bajo el mismo techo, de dormir en la misma cama, de comer en la misma mesa y de una historia en común, rica en el sentido emocional, mental, espiritual y físico, coloca a esta relación en un lugar de privilegio. Sin duda, cuanto más inviertas en tu matrimonio, mayor será la ganancia de tu inversión. Si estás lista para hacer que tu matrimonio sea el centro de los esfuerzos de tu ministerio, sigue leyendo mientras exploramos en la siguiente parte, algunas de las cosas que hacen las esposas para apagar la llama del gozo y la pasión que una vez ardiera fulgurante en los corazones de sus esposos.

cómo muere su llama de gozo y pasión

6

las jugarretas de las mujeres

Cuando mi sobrina era pequeña, muchas veces me preguntaba: «Tía Shannon, ¿jugarías conmigo?». Si decía que sí, Carye corría a su habitación y luego aparecía con un juego de mesa en la mano y explicaba: «Bueno, este es *mi* juego, así que *yo* voy a ganar, ¿de acuerdo?». Debido a su edad, Carye no tenía la madurez necesaria para poder decir: «Si me dejas ganar, me ayudaría a sentirme más lista y más adulta, ¿de acuerdo?». Ahora, Carye tiene veintitantos años y nos reímos al recordar esto de que siempre tenía que ganar en sus propios juegos. Sin embargo, no da risa que muchas mujeres adultas sigan haciendo jugarretas e insistan en ganar a cualquier costo.

Por supuesto, no me refiero a juegos de mesa; me refiero a las jugarretas que las mujeres hacen en el matrimonio. De manera subconsciente, muchas podemos ser muy buenas para asignar papeles, poner reglas e intentar ganar de modo que podamos sentirnos mejor con respecto a nosotras mismas o para satisfacer nuestras necesidades. Algunas de estas jugarretas han llegado a costarle a las mujeres el respeto y el afecto de sus esposos o, lo que es peor, la relación matrimonial misma.

En este capítulo, examinaremos varias de esas jugarretas y comenzaremos con una de las más comunes.

Cuando jugamos a la mamá

Uno de los mayores atributos que tenemos como mujeres es el instinto materno que traemos por naturaleza. A la mayoría de las mujeres les encanta cuidar a los demás y asegurarse de que todo se desarrolle sin problemas. No tenemos temor de remangarnos y zambullirnos en medio de las peleas entre hermanos, en las fiestas cuando se quedan a dormir, en los viajes escolares, en el vómito, en la caca, en la sangre o en cualquier otra cosa por el bien de nuestros hijos. Después de todo, tenemos la responsabilidad de su bienestar hasta que estén en condiciones de asumirla por su cuenta.

Una cosa es actuar como madres de nuestros hijos, pero otra es jugar a la mamá con un hombre grande. Aunque a los esposos les gusta que sus esposas hagan algo por ellos, no les gusta cuando los tratamos como a niños. Por ejemplo, Clifton explica:

> Me gusta que mi esposa se ocupe de mí, como cuando me prepara el almuerzo o me plancha la camisa el día antes de una gran reunión, pero algunas veces me habla como si no fuera capaz de hacer cosas solo, ni de tomar decisiones por mi cuenta. En ocasiones, me dice que me abrigue porque, de lo contrario, me resfriaré (como si yo no pudiera decidir cuánta ropa de abrigo necesito ese día), o insiste de manera grosera que me cambie la ropa porque no estoy vestido de modo apropiado para la ocasión, cuando lo que tengo puesto es adecuado a la perfección. No me gusta que me digan qué hacer. Soy un hombre y sé pensar con bastante claridad. No necesito ni me gusta que alguien me diga cómo tengo que vestirme. Es humillante.

Los comentarios de Peter hacen eco de los de Clifton:

> Me pone nervioso la manera en que mi esposa insiste sobre ciertas cosas, como les insiste a los niños que hagan algo en la casa. No puede confiar en que si me lo dice una vez, lo haré. Lo repite una y otra vez hasta que cedo y lo hago exasperado, solo para cerrarle la boca. Me da la sensación de que no me tiene más respeto que el que les

tiene a nuestros niños. Cuando me trata como a un niño en lugar de como a un hombre, lo último que deseo es tener relaciones sexuales con ella. Me haría sentir como si tuviera relaciones sexuales con mi madre.

A la luz de estos comentarios tan directos, bien haríamos en recordar que solo los hijos necesitan madres, no los hombres grandes. Un hombre necesita una esposa. Por supuesto, debes darle tu ayuda y presentarle tus puntos de vista o tu consejo cuando sea necesario, pero hazlo en forma de aliento, sin esperar que esté obligado a seguirlos al pie de la letra. Esfuérzate por ser su compañera amorosa, no su madre.

Sin duda, en algunas ocasiones he caído en el papel de madre con Greg y he esperado que solo me obedezca. Le he insistido que llegue a casa del trabajo a una determinada hora, en lugar de confiar en que llegará a casa en cuanto pueda. He intentado controlar lo que come y con cuanta frecuencia hace ejercicio, como si no tuviera idea de lo que es llevar una vida sana. He creado listas de un kilómetro de largo para mi amorcito, con las fechas en que necesito que se hagan ciertas cosas, como si yo pudiera tener control absoluto de su tiempo libre. Como les sucedió a Peter y a Clifton, a Greg no le gustó que su esposa estuviera tratando de manejarle la vida a baja escala.

Tal vez, has caído en una trampa similar. Con frecuencia, las mujeres me dicen: «Me siento más como la madre o la jefa de mi esposo que como su compañera», y no dejan de insistirle a sus esposos que ayuden más en la casa. Si esto te parece conocido, recuerda que no puedes exigir la cooperación de tu esposo. Sin embargo, puedes *inspirarla*. Como deseas que tu esposo se sienta motivado en su interior (y no en su exterior) para ayudar, trata de alentarlo con un comentario agradable como: «¿Podrías pasar la aspiradora en algún momento del día de hoy? Y cuando lo hagas, recuerda cuánto valoro lo mucho que te esfuerzas tanto en el trabajo dentro y fuera de la casa». O cuando lo veas realizando alguna tarea en particular, puedes decir: «¡Estoy tan agradecida por tener a un hombre que esté dispuesto a hacer eso!». Sentirá que es tu héroe, en lugar de sentir que es tu hijo rebelde, y es probable que quiera hacer su papel heroico con mayor frecuencia en el futuro.

Mientras que algunas esposas intentan jugar a la mamá en su matrimonio, otras pueden sentirse más tentadas a adoptar el papel de hijas.

Cuando jugamos a la niña malcriada

Aunque no nos hayan dado *todo* lo que queríamos cuando crecíamos, algunas niñas pudieron envolver a sus padres de tal manera que al pestañear con fuerza conseguían casi todo lo que querían. Cuando se trata de una niñita, tal vez no haya problema, pero cuando una mujer manipula las emociones de su esposo para que las cosas se hagan a su modo, crea una dinámica malsana.

Sentí pena por el esposo de una mujer cuando ella me contó: «Puedo sacarle a Dan lo que quiera, siempre que sea razonable, por supuesto. Todo lo que tengo que hacer es cruzar las piernas y no cocinar, y cede al cabo de un par de días». Traducción: «Lo privo de la relación sexual y lo mato de hambre hasta que me consienta cada capricho».

Tal vez hayas jugado a la niña malcriada de maneras más sutiles. ¿Alguno de estos comentarios o pensamientos te parecen conocidos?

* «¡Le he dado toda mi vida, así que lo menos que puede hacer es comprarme _____!» (Llena el espacio en blanco).

* «Cuando éramos novios, no te importaba deshacerte en atenciones, ¿por qué no puedes despilfarrar un poco ahora?».

* «Preferiría pasar los días en un bonito hotel en la playa, en lugar de quedarme en la casa de tus parientes. ¿Acaso no lo valgo?».

Como el dinero (o la falta del mismo) es una de las razones más comunes de las peleas matrimoniales y el divorcio, es importante que no pongamos sobre nuestros esposos o sobre nosotras mismas una carga financiera mayor de la que podamos llevar. Con la invención de la tarjeta de crédito, para crear una deuda imposible de manejar, basta solo con pasar la tarjeta por una ranura magnética y poner una firma. Te puede parecer escandaloso (o puedes sentir cargo de conciencia), pero de acuerdo con una encuesta en línea realizada por la revista *Redbook*, el treinta y tres por ciento de los cónyuges admiten que tienen una deuda excesiva en tarjetas de crédito y no se lo dicen al otro[1]. Cuesta imaginar el estrés que esto le produce al cónyuge que gasta y oculta sus gastos, y cómo afectará al matrimonio el secreto y la deuda cuando el otro cónyuge descubra lo que ha estado sucediendo. Greg y yo tenemos un amigo cuya esposa se suicidó de repente hace varios años, y nadie entendía el porqué. La razón se hizo evidente cuando varias semanas después, llegó la cuenta de la tarjeta de crédito que reflejaba miles de dólares de deuda de los cuales su esposo no sabía nada.

Para evitar el estrés financiero innecesario en tu matrimonio, usa un sistema en el que solo manejes efectivo, cheques o tarjetas de débito, en especial, si eres propenso a gastar dinero prestado con una tarjeta de crédito. Los estudios muestran que los consumidores gastan mucho *más* cuando usan una tarjeta de crédito, porque crea la sensación de «puedo tenerlo ahora y pagar más tarde». Este es un engaño mental que nos hace creer que podemos vivir por encima de nuestras posibilidades sin padecer las consecuencias. Aunque lo que nos ofrece la tarjeta de crédito pueda ser tentador, no hay nada que podamos comprar en un negocio que sea más valioso y satisfactorio que la tranquilidad que ganamos cuando vivimos libres de una deuda excesiva.

Por supuesto, el manejo de las finanzas no es solo cuestión de evitar las deudas; también es cuestión de mayordomía. Es triste, pero he conocido a muchas mujeres que tienen trabajos con salarios tan altos que se sienten en libertad de gastar todo el dinero que quieran sin importarles cómo se sientan sus esposos con respecto a esta mayordomía. También he conocido a unas pocas esposas que casi hacen que el gasto de las chequeras de sus esposos sea su profesión. Se quejan de que están siempre en la oficina, entonces sienten que esto justifica las compras excesivas para llenar las horas de soledad. No obstante, a menudo estos mismos esposos dicen que sienten que tienen que trabajar más horas y con más esfuerzo para mantener los hábitos de compras de sus esposas. Estas mujeres quieren casas mayores y autos más elegantes, pero no están dispuestas a cuidar mucho el dinero, ni a ahorrar, ni a cuidar más los detalles. Sus demandas pueden hacer que los esposos se sientan más como banqueros que como compañeros de la vida y, casi siempre, trabajan una cantidad malsana de horas debido al temor que sienten a lo que podría significar una pérdida del sueldo habitual y, en definitiva, la pérdida de la familia.

Lo más probable es que en nuestros roperos tengamos ropa suficiente y muchos más zapatos de los que necesitamos. Es probable que la gente no se dé vuelta a mirar el auto en el que viajamos, pero la mayoría de las veces nos lleva a donde necesitamos que nos lleve. No precisamente necesitamos una casa mayor, pero sí necesitamos librarnos de todas las cosas que quitan tanto espacio. Recuerda que sin importar cuánto dinero gane cada cónyuge, los esposos tienden a llevar, en su mente, la mayor cantidad de responsabilidad en cuanto a proveer para la familia, porque así es la esencia de los hombres. Lo único que hacemos las esposas cuando exigimos cosas que no necesitamos en realidad es acrecentar esa carga.

Entonces, la próxima vez que desees realizar una compra que pueda tener un impacto importante en el presupuesto familiar, ora para saber si es algo que necesitas de verdad. Si lo es, conversa con tu esposo al respecto y piensa qué sacrificio puedes hacer durante algún tiempo para ayudar a llevar algo de la carga que origine el gasto y para que tu esposo no se sienta abrumado por la petición. Por ejemplo, puedes recortar cupones, renunciar al café que tomas en una cafetería o puedes llevarte el almuerzo al trabajo en lugar de comer afuera.

Si no recibes la respuesta que esperabas, ocúpate de tu desilusión sin entrar en el juego de la manipulación. Recuerda lo que dijo Santiago en el capítulo 4: las peleas surgen, muchas veces, como resultado de los deseos que luchan en nuestro interior y que muchas veces no tenemos algo que deseamos porque no se lo pedimos a Dios o porque nuestras motivaciones no son las adecuadas. Prueba estos tres pasos para remediar estas situaciones:

1. Rinde el deseo a Dios durante algún tiempo y fíjate si desa-parece. Muchas veces, los deseos materiales son pasajeros y las ventas de garaje llenas de lo que el año pasado «no podía fal-tarte» son por lo común un testimonio de esta realidad.

2. Si el deseo permanece aun después de rendirlo, da el siguiente paso y ora para que tus motivaciones se purifiquen, y pídele a Dios que cumpla el deseo de acuerdo con su voluntad.

3. Si pasa el tiempo y no recibes respuesta, pídele a Dios que cambie el deseo de tu corazón o del corazón de tu esposo para que estén de acuerdo con su voluntad.

A lo largo del proceso de estos tres pasos, sin importar cuál sea el resultado de tus oraciones, mantén la unidad y la armonía en tu relación como una prioridad por encima de cualquier compra que desees realizar. No hay nada que puedas comprar ni poseer que llegue a ser tan valioso para ti, para tu matrimonio o para tus hijos como una relación pacífica y de unidad con tu esposo.

En otros momentos, puede suceder que una esposa no sienta la tentación de jugar a ser la niñita, sino de tomar el papel del padre, es decir, del Padre *celestial*.

Cuando jugamos a ser el Espíritu Santo en el pobre pecador

¿Alguna vez has tenido cualquiera de estos pensamientos, o lo que es peor, los has expresado en voz alta?

✳ *Mi esposo piensa que es cristiano, pero no estoy segura.*

✳ *Mi vida sería mucho mejor si mi esposo amara al Señor como yo.*

✳ *Si nuestros hijos conocen a Jesús cuando crezcan, ¡no será gracias a mi esposo!*

Aunque de ningún modo quiero minimizar el dolor de cualquier mujer que viva con un incrédulo declarado, sí quiero señalar que el legalismo y las pretensiones de superioridad moral son dos de las cosas acerca de las cuales más habló Jesús. Muchas tenemos que admitir que, en general, les asignamos el papel del chico malo a nuestros esposos, mientras nosotras estamos rodeadas de un halo angelical. Entonces, ¿qué tratamos de lograr cuando lo hacemos? ¿Tratamos de llevarlo a sentir el deseo de tener una vida más justa o pretendemos hacernos parecer más santas al llamar la atención por su falta de santidad?

Toda mujer cristiana anhela un esposo que sea un fuerte líder espiritual en su hogar. Aun así, algunas veces, a un hombre le lleva años madurar hasta asumir ese papel. Es lamentable que muchas mujeres detengan ese proceso de crecimiento con su propia indignación farisaica, como lo explica Anthony:

> Mi esposa piensa que es una santa consumada porque va a la iglesia cada vez que se abren las puertas, pero puede llegar a ser una persona tan malintencionada que me pregunto si tanta religión le ha hecho algún bien. Si la iglesia está llena de hipócritas como ella, no quiero saber nada de la gente que está allí. A mí me gusta más quedarme en el auto los domingos por la mañana, a solas con Dios, pero no cabe duda que mi esposa piensa que voy a arder en el infierno porque no caliento un banco todos los domingos como lo hace ella. «¡La fe sin obras es muerta!», dice, pero su actitud cínica me muestra que su fe tampoco está muy viva.

La respuesta de Anthony al enfoque de su esposa es un recordatorio gráfico de que solo podemos darles a nuestros esposos un *ejemplo* de lo que es la vida cristiana abundante, no podemos *obligarlos* a que la experimenten. Por mucho que desees que tu esposo esté más comprometido con las cosas espirituales, recuerda que hay un solo Dios: un Padre, un Salvador y un Espíritu Santo, y ese no eres tú. Podemos fastidiar a nuestros esposos lo suficiente como para que cambien un poquito su conducta, pero el cambio profundo y sincero solo es posible a través del poder del verdadero Espíritu Santo, no de lo que tratamos de ser en la vida de nuestro esposo. Solo ora por tu esposo, aliéntalo con amor cuando sea apropiado y permite que el Espíritu Santo haga en su vida lo que solo puede hacer Él.

Por último, como muchos de nosotros llegamos al matrimonio con problemas sin resolver, existe otra jugarreta más que vale la pena mencionar.

Cuando jugamos al paciente-psicoterapeuta

Como les sucede a muchas mujeres, a mí me ayuda hablar sobre algunas cosas. Cuando expreso mis pensamientos, casi siempre recibo una dirección clara en cuanto a cómo resolver un dilema en particular. Cuando nuestros problemas se resuelven con facilidad, nuestro esposo puede ser la persona que nos dé la opinión que necesitamos. Sin embargo, los problemas que no pueden identificarse ni solucionarse con facilidad pueden convertirse en divisiones entre esposos y esposas que producen frustración y confusión.

Esto fue lo que les sucedió a Wendy y a Jeremy. Con el deseo de ser transparente, Wendy le contó a su esposo todos los detalles acerca del abuso sexual que experimentó en la niñez a manos de un vecino. Hacía seis meses que estaban casados y, al comienzo, Jeremy se comportó de manera muy comprensiva. Le dijo que si quería, trabajaría horas extras para pagarle sesiones de terapia. Ella no quiso cargarlo con este gasto, así que le dijo que podía manejar la situación. Sin embargo, casi nunca estaba interesada en tener relaciones sexuales porque le traían demasiados recuerdos del abuso. En cambio, le pedía a Jeremy que tan solo la abrazara mientras hablaba sobre lo que sentía debido al abuso.

Con el tiempo, su esposo se sintió tan frustrado y cansado de oír los amargos recuerdos y las pesadillas recurrentes que dijo: «Mira, no tengo problema en escucharte, pero a menos que quieras que vaya a buscar a este tipo y lo golpee por lo que te hizo, tal vez sea mejor que no me cuentes toda esta historia». Aunque no era lo que Wendy deseaba oír en ese instante, fue un verdadero momento crucial en su relación. Nos cuenta:

> Durante algún tiempo, la respuesta de Jeremy me pareció un rechazo, pero cuanto más lo pensaba, más me daba cuenta de que aunque nunca había asistido a una clase de sicología en su vida, yo buscaba la terapia en él y esto lo había abrumado. Aunque todavía siento que puedo ser sincera con Jeremy, no pierdo mucho tiempo contándole detalles morbosos acerca de cosas por las que no puede hacer nada. A estas las llevo al consultorio de mi terapeuta en lugar de hacerlo al dormitorio.

Como descubrió Wendy, la naturaleza de los hombres los hace resolver problemas. Les encanta ser nuestros héroes, sacarnos de apuros y rescatarnos de nuestra angustia. Aun así, cuando nuestros problemas son demasiado complejos y están arraigados en lo profundo, nuestros esposos pueden sentirse abrumados y frustrados por su incapacidad para arreglar las cosas. Entonces, si necesitas que te resuelvan un problema y tu esposo puede hacerlo, acude a él sin problema. En cambio, si necesitas terapia para superar alguna cuestión que tu esposo no está capacitado para manejar, ve a un terapeuta y hazte un favor a ti misma y otro a él.

Por supuesto, lo mismo sucede en el otro sentido. Si tu esposo tiene problemas muy arraigados que necesita tratar, no se puede esperar que tú seas la única terapeuta que necesita. Aliéntalo y apóyalo, pero no trates de arreglar sus problemas por tu cuenta. Eres su esposa, no su terapeuta.

Un juego en el que siempre se gana

¿Qué me dices de ti? ¿Alguna de estas jugarretas (u otras) han sido baldes de agua sobre la llama de tu matrimonio? ¿Estás lista para renunciar a estas jugarretas a fin de poder comenzar a *inspirar* intimidad en tu relación en lugar de *exigirla*?

Si es así, ponle fin a las jugarretas para lograr que se satisfagan tus deseos o necesidades. Es verdad que todas tenemos momentos en los que nos enfrentamos a la necesidad de cuidar a alguien, momentos en los que deseamos ayudar a otro para que sea una mejor persona, o en los que necesitamos superar problemas para convertirnos en mejores personas, pero las jugarretas nunca son la respuesta. Con la ayuda de Dios, puedes aprender a reconocer y a expresar con palabras esas necesidades y deseos de modo tal que tu esposo se sienta respetado en lugar de manipulado.

La única manera en que experimentarás de verdad una relación plena es amando a tu esposo tal cual lo hizo Dios (en lugar de tratar de hacerlo representar el papel que tú quieres que juegue). Al reconocer y expresar con palabras tus necesidades o deseos, prepararás el escenario para que *ambos* se sientan como ganadores.

la travesía por las escaleras mecánicas emocionales

Mi abuela pasó gran parte de su vida dando vueltas por los centros comerciales y grandes almacenes en busca de los ascensores escondidos. Quién hubiera pensado que las escaleras mecánicas la aterrorizaban. Recuerdo una vez en que mi madre trataba de convencerla para que subiera por una escalera mecánica. La abuela se resistió de tal manera a subirse a esa cosa, que hubieras pensado que el segundo piso se estaba incendiando. Insistió: «En alguna parte de esta tienda tiene que haber un ascensor, ¡o al menos alguna escalera que no se mueva!». Hasta se iba furiosa de la tienda diciendo: «Santo cielo, no tengo tanta necesidad de calcetines de esta tienda. Podemos encontrarlos en cualquier otro lugar en el que no haya que subirse a una escalera mecánica para comprarlos».

Como esposa, desearía parecerme más a mi abuela y evadir, a propósito, las escaleras mecánicas. Por supuesto, no me refiero a escaleras mecánicas físicas, sino a las emocionales, en las que un pasito que Greg dé fuera de la línea asciende a un delito de tercer grado. Te daré algunos ejemplos de cómo ha funcionado esto en nuestra casa y en muchos otros hogares del país.

Preocupaciones por tonteras

No hace mucho, salimos con nuestra casa rodante para disfrutar de un tiempo en familia durante las vacaciones de primavera. Teníamos planeado salir un jueves, así que le pedí a Greg que el martes sacara la casa rodante del bosque y la trajera al camino de entrada para que yo tuviera tiempo de limpiarla y abastecerla de todo lo que necesitábamos. El martes, llovía a cántaros, entonces Greg decidió esperar hasta el miércoles para traer la casa rodante. Sin embargo, la noche del miércoles fue una locura: había que llevar y traer a los chicos a su grupo de jóvenes y a las actividades del ministerio Awana. Además, Greg trataba de dejar todo arreglado en la oficina ya que estaría ausente durante un par de días. Así que, la casa rodante estuvo afuera el miércoles.

Por fin, Greg la trajo el jueves por la mañana, tan solo un par de horas antes de partir. Me dijo que, sin querer, habíamos dejado una sandía en el piso de la cocina la última vez que salimos para acampar (varios meses atrás), pero que ya había limpiado el desastre. En el apuro, recurrí a recoger la ropa, las mantas, los artículos de tocador, la comida y los diferentes equipos para realizar actividades, los puse en maletas y en cestos para la ropa y así, tal cual, los llevé a la casa rodante, con la idea de que la organizaríamos y limpiaríamos más tarde.

Sin embargo, el «más tarde» parecía no llegar nunca. A lo largo de todo el fin de semana, movíamos a cada momento las maletas y cestos de ropa de las camas a la mesa, al piso y de vuelta a las camas. Luego de dos días de caos, esta feliz campista se convirtió en una osa gruñona. «¡Si hubieras traído la casa rodante cuando te lo pedí, no tendríamos este problema!», le dije con brusquedad a Greg. «¡No puedo funcionar de esta manera! ¡Para mí no es diversión!» Parecía no importar que los ataques de mamá contra papá no fueran divertidos para nadie. Me estaban causando molestias. No estaba cómoda. En lugar de levantar el ánimo, vaciàr el tráiler y acomodar todo a mi gusto, mamá osa prefirió armar una pelea. Mientras tanto, esto es lo que pensaba papá oso:

> Me molestaba que Shannon me regañara, en especial, frente a nuestros hijos. Para empezar, si queríamos llegar al lugar de campamento a tiempo para ubicar la casa rodante

antes de que oscureciera, no nos quedaba otra alternativa que poner todo adentro y salir a la carretera. Además, ella suponía que le había dejado la mayor parte del trabajo. No sabía todo lo que me había costado limpiar la suciedad que quedó en el piso de la cocina debido a la sandía podrida, de lo contrario, me hubiera dado las gracias en lugar de refunfuñar contra mí. No me parecía que las maletas y los cestos de ropa fueran un problema tan grande, ya que podíamos sacarlos del camino cuando fuera necesario. No cabía duda de que para ella era un gran problema, pero con refunfuñarme no resolvía el caos. Solo lo generaba más.

Algunas veces, las cosas no salen como las planeamos ni como esperamos. En esos momentos cuando sentimos que las circunstancias de la vida nos desilusionan o nos son adversas, podemos permitir que nuestras emociones suban de tono hasta convertirse en enojo, frustración, resentimiento o profunda depresión (que, en general, cualquiera de ellas empeora la escena) o podemos ser flexibles y sacar lo mejor de la mala situación. Si es del todo necesario, siempre podemos expresar nuestras preocupaciones más tarde, cuando estemos en el momento y en el lugar apropiados, y cuando podamos hablar de un modo amoroso y calmado.

Por supuesto, no siempre son las circunstancias de la vida las que pueden hacernos caer en picada en el aspecto emocional. Algunas veces, permitimos que sean las rarezas de nuestros esposos las que nos vuelvan locas.

Cuando permitimos que sus rarezas nos vuelvan locas

Todos tenemos un conjunto exclusivo de rarezas, y una de las de mi esposo es que tiene muy poco sentido de la orientación. Una vez, llegó tres horas tarde a una importante reunión de negocios al este de Tejas, porque sin querer dobló hacia el lado de Oklahoma. A él no le resultó gracioso, pero sus compañeros de trabajo se divirtieron a sus anchas con su terrible tardanza por haber doblado hacia el norte cuando tendría que haber doblado hacia el sur.

A mí tampoco me costó reírme del incidente, porque no me trajo ningún problema. Sin embargo, en una mañana ajetreada en particular, en la que trataba de que todos se levantaran, se vistieran, comieran, empacaran sus cosas y salieran hacia la escuela y el trabajo, permití que el pobre sentido de la orientación de Greg me hiciera subir a una escalera mecánica emocional de alta velocidad. Salimos de la casa y nos detuvimos frente a una intersección de cuatro vías. Como si estuviera en piloto automático, Greg dobló a la izquierda para ir hacia su oficina, aunque íbamos de camino a la escuela de los chicos, para lo cual había que girar a la derecha. Durante toda la mañana, había ido acumulando tensión y este fue el empujoncito que me hizo volver loca. Con el pie, apreté con fuerza el pedal de freno imaginario frente al asiento del acompañante y grité: «¿*Adónde* vas? ¿Podrías bajar de las nubes y *prestar atención*? ¡Hombre!». En cuanto las palabras salieron de mi boca, yo misma quedé pasmada ante mi comportamiento, en especial porque mi estallido se había producido frente a nuestros hijos.

Otra de las peculiaridades de Greg, que he llegado a apreciar (mucho más que su pobre sentido de orientación), es que no puede irritarse. En lugar de contestarme con un grito luego de mi estallido en esa intersección de cuatro vías o de preguntarme con sarcasmo si quería conducir en su lugar, Greg me miró con calma y me dijo: «¿Podrías tenerme un poquito más de paciencia? No estaba pensando, pero eso no te da derecho a gritarme». Desde luego, por dentro no estaba en calma. Admite que no tenía muy buenos sentimientos hacia mí en ese momento. Yo ya había desayunado, pero la situación requería una gran porción de pastel de humildad como postre.

Al igual que muchos hombres, Greg detesta pedir instrucciones. He oído que los israelitas vagaron por el desierto durante cuarenta años porque Moisés se negó a detenerse y pedir instrucciones para llegar a la Tierra Prometida. Aunque esto puede ser una burda exageración, la mujer que haya estado atrapada en un vehículo sin rumbo con un hombre que se niega a admitir que está perdido, sabe que esta aversión puede volver loca a una persona. Solía permitir que este minúsculo problema de Greg me molestara hasta el punto de la frustración y el enojo. Cuando llegábamos a muchos de nuestros destinos, mi insistencia para que pidiera instrucciones o para que me dejara conducir nos dejaba tan enojados a los dos que ninguno podía disfrutar de la velada.

Ahora, en lugar de gritarle, le pongo la mano en el muslo para llamarle la atención, le hago una bonita sonrisita, levanto la ceja y pregunto: «¿Hacia dónde vas?». Este enfoque permite que él se ría de sí mismo junto conmigo. Aun cuando tengamos poco tiempo, me digo: *¿Acaso alguien perderá la salvación si llegamos un par de minutos tarde porque Greg giró, por accidente, hacia el lado equivocado?*

Si nos perdemos de verdad, he aprendido a no contárselo a los demás cuando llegamos, porque puede parecer que me estoy burlando de su pobre sentido de orientación. También he aprendido que si necesitamos instrucciones de verdad, lograré mucho más si digo: «De todos modos, necesito ir al baño. Si te detienes en esta gasolinera, me aseguraré que estemos en la dirección adecuada». De esta manera, él es mi héroe al detenerse para permitirme ir al baño, no un burro por hacer que nos perdamos.

Ahora, Greg y yo tenemos una nueva manera de asegurarnos que llegaremos a tiempo: el sistema de posicionamiento global (GPS [por sus siglas en inglés]). La historia de *cómo* lo compramos es otra buena ilustración de la manera en que las esposas podemos decidirnos a saltar a otra escalera mecánica emocional o responder a las desilusiones de un modo calmado y racional.

No se acepta un NO como respuesta

Como mencioné en el capítulo anterior, algunas veces tratamos de manipular a nuestros esposos para que nos den lo que queremos y casi siempre el método que usamos es negarnos a aceptar un no como respuesta. Aunque fui culpable de esto en el pasado, esta es una escalera emocional que he aprendido a evadir. Greg explica:

> Hace unos meses, decidimos ordenar un nuevo Toyota híbrido para sustituir el Camry de catorce años que teníamos y aliviar algo de la tensión que generaba en nuestras billeteras el tanque que engullía combustible y el incremento del precio de la gasolina. Cuando ingresamos el pedido, nos dijeron que, por lo menos, pasarían seis meses antes de que pudiéramos retirar el auto. Shannon sugirió que considerárramos el modelo más caro que incluía un sistema de navegación, ya que yo era miembro del club

«me niego a detenerme y pedir instrucciones». Sin embargo, a mí me pareció que el GPS no valía el dinero extra. Hace diez años, Shannon hubiera hecho pucheros, hubiera insistido en que las cosas se hicieran a su modo o hubiera manipulado la situación de alguna manera para ganar. En cambio, solo dijo: «Está bien, como a ti te parezca». Me pregunto, si a pesar de todo, no se habrá dado vuelta para pedirle a Dios que cambie mi modo de pensar. Tan solo a las cuatro semanas de haber presentado nuestra orden, la llamé un día y le dije: «He estado pensando que tal vez deberíamos ordenar el sistema de navegación».

No me lo refregó por la nariz ni exclamó: «Te lo dije». Solo respondió encantada: «Entonces, ¡*nunca* tendrás que detenerte a pedir instrucciones! ¿Quieres que yo cambie la orden?». Accedí a esta mejora, sobre todo porque estuvo tan conforme al aceptar mi no, que yo quise darle un gran sí al saber cuánto deseaba el GPS.

¿Entendiste? Como acepté su no, mi esposo quiso darme un sí incondicional cuando era posible. Sospecho que es probable que tu esposo se parezca mucho al mío. Cuando haces pucheros, lloras o armas un soberano escándalo, lo único que logras es que quiera seguir en sus trece. No obstante, si aceptas su no y respetas sus sentimientos, lo motivarás para que trate de ver las cosas desde tu perspectiva. No te digo esto como un medio de manipular a tu esposo de modo más eficiente, sino como una manera de mantener la unidad y la armonía, de alimentar el gozo y la pasión que los dos desean e inspirar un espíritu de mayor cooperación en cada uno.

También puedes mantener la unidad y la armonía en tu matrimonio al no subirte a la escalera mecánica emocional de pensar que todo gira a tu alrededor.

Cuando nos tomamos las cosas muy a pecho

Cuando Bárbara y Andy eran novios, ella le preguntaba muchas veces en qué estaba pensando. Nueve de cada diez, estaba pensando en ella. Entonces, luego de veintitantos años de matrimonio, ya no sucede lo mismo, lo cual no necesariamente es algo malo. Sin embargo, si

Bárbara le pregunta a Andy en qué está pensando y responde: «No estoy pensando en nada», ella se lo toma a pecho y comienza a pensar en qué ha hecho mal. Comienza a cuestionarlo y a preguntarle por qué casi nunca piensa en ella como solía hacerlo. Andy ha llegado a la conclusión de que «nada» siempre es la respuesta indebida a la pregunta «¿En qué estás pensando?», aunque no esté pensando absolutamente en nada. Admite:

> Si Bárbara me encuentra pensando en algo, puede tratarse de lo que necesito hacer en la oficina o en cuánto deseo ir a jugar al póquer con los muchachos alguno de estos sábados por la noche. No obstante, si llego a decirle lo que tengo en la mente, se enfurruña y se queja diciendo que estoy casado con mi trabajo o que ya no la saco a pasear los sábados por la noche. Amo a mi esposa, ¿pero tengo que pensar en ella cada minuto para probárselo? ¿Debo mentirle y decirle que estoy pensando en ella aunque no sea verdad? Parece un dilema absurdo para un hombre adulto.

La moraleja de esta historia es que debemos interpretar en forma literal lo que dice nuestro esposo, en lugar de tomárnoslo a pecho. Si dice que no está pensando en nada, es probable que sea así.

Recuerdo una vez en la que expresé mi desilusión ante una de las respuestas de Greg «no estoy pensando en nada». Me explicó con sinceridad: «Shannon, no soy lo bastante listo como para tener pensamientos profundos en cada momento del día. Algunas veces, no pienso en nada en realidad. Tengo la mente en blanco. Vegeto. En el trabajo, tengo que pensar todo el tiempo. En casa, quiero tener la libertad de dejar que se enfríe mi cerebro. Por favor, no lo tomes como una señal de que no te amo o que no pienso en ti a menudo».

Es probable que le hagas esta pregunta a tu esposo, de vez en cuando, solo porque deseas conocerlo mejor. Es comprensible, pero trata de no esperar nada en especial en cuanto a lo que *debería* responder cuando le preguntas en qué está pensando. Si crees que debería estar pensando en ti y por eso se lo preguntas, estás buscando aprobación o un cumplido. Con todo, cuando los motivos que te llevan a preguntar son puros (solo deseas sentir una conexión con él en un determinado momento), estarás en condiciones de aceptar cualquier respuesta que te dé, sin importar si es lo que esperabas oír.

O tal vez, al igual que Bárbara, haces esta pregunta para confirmar si tu esposo te ama todavía. Una manera más eficaz de recibir esta aprobación es reconocer tu necesidad e invitar a tu esposo a que la satisfaga diciéndole algo semejante a esto: «En este momento, me siento un poquito insegura y necesito oírte decir que me amas. ¿Podrías decirme lo que te gusta de mí?». También es probable que responda mejor si también le haces algunas preguntas directas, como: «¿Recuerdas lo que pensabas cuando caminaba por el pasillo de la iglesia el día de nuestra boda? ¿Todavía sientes lo mismo? ¿Cuál es el mejor recuerdo que tienes de nuestra vida de casados?». Entiendes a qué me refiero. No te lo tomes a pecho si sus palabras no concuerdan con el guión imaginario con el que soñaste en tu mente. Déjalo que se conecte contigo mediante sus propias palabras y a su manera.

Por último, cuando nos tomamos las cosas pequeñas muy a pecho (y como resultado, tomamos un giro equivocado), podemos encontrarnos con que creamos problemas importantes en nuestra relación, en especial en una habitación de la casa: el dormitorio.

Suspiros son suspiros

Este ejemplo es un tanto personal, pero de acuerdo con las conversaciones que he tenido con otras mujeres y cómo a veces reaccionamos en forma exagerada frente a las cosas pequeñas, a Greg y a mí nos pareció que valía la pena contarlo.

A los seis meses de casados, bien tarde un sábado por la mañana, nos habíamos dado un festín con un desayuno de tocino, huevos, bizcochos y salsa de carne. Los dos sentíamos la gran tentación de desconectar el teléfono y regresar a la cama para dormitar un poco luego del desayuno. Sin embargo, cuando me quité la bata, a Greg se le encendieron los ojitos con esa mirada que dice: «¡Ah, muñeca! ¡Ven aquí!». Me sumergí entre las sábanas y entre sus brazos, y comenzamos a hacer el amor.

Acto seguido, Greg se quedó dormido, y yo quedé sumida en una profunda depresión. ¿Cuál fue el problema? Sabía que se estaba cansando de mí y que lo aburría nuestra vida sexual. ¿Qué me dio esta impresión? ¡Greg *suspiró* en la mitad de nuestra relación sexual!

No fue ninguna clase de suspiro apasionado, como el que esperarías oír de tu esposo mientras haces el amor. A mí me pareció que era más un suspiro como el de: «Uf, estoy cansado y no veo la hora de que esto acabe». ¿Qué me dio esta impresión? La intuición femenina. La mujer solo capta estas cosas, ¿no es cierto? ¡No!

Cuando le dije a Greg cómo me sentía, casi no podía dar crédito a lo que oía. Esto fue lo que pensó:

> ¡Un *suspiro* no es más que un *suspiro*! No entiendo cómo un pequeño suspiro aislado, durante una mañana lenta y luego de un gran desayuno podía traducirse como: «Ya no me entusiasma nuestra vida sexual». Cuando desperté de mi siesta de media mañana y encontré a Shannon llorando a lágrima viva sobre su almohada, tuve temor de que hubiera un verdadero problema serio. Sin embargo, cuando me explicó por qué lloraba, ¡no podía creer que semejante pensamiento le cruzara por la mente!

Contamos este detalle tan íntimo de nuestro matrimonio porque es una ilustración perfecta de cómo Satanás puede tomar algo tan insignificante como un suspiro, puede agrandarlo fuera de toda proporción en la mente de una persona y puede causar una tremenda espiral descendente en la relación. Se dice algo y el que oye lo saca fuera de contexto. A lo mejor, el locutor tiene un mal día, está cansado o se siente estresado por algo que sucede en el trasfondo de la vida. Nos sentimos tentados a tomarlo a pecho y, en lugar de mantener las cuentas claras, creamos toda una historia en nuestra mente para probar que a esa persona, en realidad, ya no le gustamos, no nos ama, no nos respeta, no nos valora o no quiere estar cerca de nosotros. Con cada incidente negativo que permitimos que se sume en nuestra mente, colocamos otro ladrillo entre nosotros y esa persona, y así creamos paredes mentales que solo sirven para separarnos. Sin embargo, no tiene por qué ser así.

Imagina las posibilidades

Piensa en el impacto positivo que podrías causar en tu matrimonio si te negaras a tomar un pequeño suceso, a agrandarlo fuera de proporción en tu mente y a permitir que te altere demasiado en lo emocional. ¿Qué pasaría si no te tomaras a la tremenda las pequeñeces y en cambio fueras flexible ante cualquier hecho inesperado que te aparezca en el camino? ¿Qué pasaría si aprendieras a reírte del pobre sentido de orientación de tu esposo (o de cualquier otra pequeña singularidad que tenga que pueda frustrarte hasta el punto de volverte loca)? ¿Qué sucedería si pudieras aceptar su no sin hacer cualquier clase de escena manipuladora? ¿Qué sucedería si le otorgaras a tu esposo la gracia de tener sus propios pensamientos y te negaras a tomarte las cosas a pecho? ¿Qué sucedería si te aferraras con firmeza a la seguridad de que tu esposo te ama con locura y que desea tener intimidad contigo cuantas veces sea posible? ¿No sería mucho más fácil encender y mantener un gozo y una pasión increíbles en tu relación?

Puedes apostar al sí. Entonces, hazte un favor a ti misma (y a tu esposo) y trata de permanecer firme cada vez que sientas la tentación de treparte a otra escalera mecánica emocional.

el abandono de la línea de banda

Hace poco, me encontraba de visita en casa de una amiga en Colorado que nació el mismo día que yo. Muchas veces, comparamos la manera en que cada una envejece, y surgió el tema del nivel de estado físico que tenemos, que ya no es el mismo ahora que nos acercamos con rapidez al pesado 0 de los 40. «Eras una adolescente bastante activa, ¿no es cierto?», le pregunté a Kia y también mencioné que recordaba las fotos que colgaban en la pared de la fama de su madre, mostrándola como animadora. Se rió y dijo: «Recuerda que crecí en Samoa. Allí, cualquiera puede ser animadora. Toda muchacha que deseaba serlo, entraba automáticamente al equipo. Cuando vine a los Estados Unidos y entré en un instituto con miles de estudiantes, supe que de ninguna manera podía formar parte del equipo de animadoras. Ni siquiera podía hacer la voltereta lateral».

En ese momento, esto me resultó gracioso (y conocido, ya que nunca pude dominar esa voltereta en forma de media luna), y horas después, no podía apartar la historia de la mente. Qué grandioso que a esas muchachas de Samoa se les permitiera ser animadoras, sin importar cuáles fueran sus habilidades. No las presionaban con el rendimiento. Para formar parte del equipo no había que pasar por un concurso de popularidad. Lo hacían solo porque querían.

Aunque no todas las muchachas aspiran a ser animadoras, hubo un momento en mi vida en el que sí quise serlo. Sin embargo, no quería hacer ejercicio todos los días ni hacer la prueba de realizar esas acrobacias temerarias, así que nunca lo intenté. No obstante, si para entrar en el equipo solo hubiera tenido que levantar la mano, ir a practicar y alentar a mi equipo desde la zona que rodea el campo de juego, lo hubiera hecho sin vacilar.

Bueno, ¿sabes una cosa? He descubierto que no es demasiado tarde para cumplir mi sueño de convertirme en una animadora. Todo lo que hace falta es que desee serlo. No hay presiones en cuanto al desempeño. No hay concursos de popularidad. No se esperan piruetas temerarias. El único requisito es que quiera alentar a mi hombre para que obtenga la victoria, tanto en lo que persigue a tiempo como fuera de tiempo. Analicemos las clases de búsquedas y algunas de las maneras en que una esposa puede ser una carga o una bendición para su esposo.

Cuando se añade más estrés

Mientras que las mujeres tienen casi siempre una cantidad inconcebible de responsabilidades que atender, no podemos olvidar que nuestros esposos también le hacen frente a un torbellino de desafíos todos los días. No solo tienen que ganarse el pan, sino que deben ganar la suficiente cantidad de dinero como para asegurar el futuro. No solo tienen que cumplir con su trabajo, sino que deben impresionar al jefe y a los compañeros de trabajo, y tienen que alcanzar objetivos y llegar a las fechas límites de manera que logren mostrar que son capaces, decididos y eficientes.

Tu esposo se enfrenta a un torbellino de presiones diarias, y a menudo cada hora de su día puede parecerle como una batalla cuesta arriba. Necesita saber, sin una sombra de duda, que alguien está de su lado, sin importar lo bueno o pobre que sea su desempeño ese día. Necesita a alguien que se comprometa a alentarlo para que llegue al éxito tanto en el trabajo como en el hogar.

Es lamentable que no todos los hombres describan a sus mujeres como sus mayores admiradoras. Piensa en estos comentarios que surgieron de entrevistas hechas a hombres:

✳ «Desearía que mi esposa comprendiera que mi trabajo no es la típica rutina de nueve a cinco. Rebeca se molesta cuando se enciende mi localizador personal y tengo que irme a trabajar, sobre todo si se trata de un día en el que tenemos planes especiales. Puedo comprender su desilusión. A mí también me molesta cuando tengo que dejar a mi familia. Aun así, las cosas me resultan mucho más difíciles cuando tengo que salir sabiendo que mi esposa está enojada conmigo».

✳ «A Kate la invito a que me acompañe en los viajes de trabajo todas las veces que sea posible, pero dice que prefiere quedarse en casa en lugar de estar conmigo y sentirse olvidada, porque mi atención está muy concentrada en el programa o en la gente con la que tengo que interactuar. Parece celosa del tiempo que paso con los clientes, pero no es más que una parte de mi trabajo, y así gano el sustento para mi familia. Desearía que no sienta que debe competir por mi tiempo o mi atención. Me siento destrozado cuando la dejo en casa enfurruñada, porque tengo que irme de la ciudad *otra vez*».

✳ «He sentido, de verdad, el llamado de Dios para que abandone mi práctica como cirujano ortopédico y sirva como misionero en países extranjeros. Laura ni siquiera se aviene a orar al respecto ni a considerar la posibilidad de que Dios nos esté guiando en esa dirección. Dice que desea que ponga primero a mi familia, pero en el fondo creo que sería bueno para todos viajar y ayudar a la gente tan necesitada. No puedo evitar pensar que, en realidad, la principal razón es el abultado salario al que renunciaríamos para servir como misioneros, y eso hace que me sienta como si quisiera que la sirva a ella en lugar de a Dios».

Como lo indican estas citas, los hombres anhelan que sus esposas los apoyen, los comprendan y los alienten cuando se trata de la carrera que eligen o de un llamado al ministerio.

¿Qué me dices de ti? ¿Alguna vez te sientes molesta por el trabajo de tu esposo? ¿Te sientes celosa de las cosas que tiene que hacer? ¿Eres inflexible con respecto a que cambie o no de carrera debido a cómo te afecta?

Entiendo que hay situaciones en las que una esposa debe expresar, de buen modo, lo que piensa, en especial si su esposo es un adicto al trabajo o a cada momento pasa por alto las necesidades de su familia. No obstante, si te pareces a mí, hay veces en las que tu insatisfacción nace del egoísmo o de los celos del tiempo y la energía que tu esposo le dedica a su carrera, porque esto lo aleja de ti.

Durante esos momentos, ten en cuenta el siguiente panorama: Si tu esposo no tuviera empleo y no tuvieras un salario con el cual vivir, ¿su situación actual no sería un cambio esperado para dejar de preguntarte cómo se las arreglará tu familia para mantener un techo sobre la cabeza y comida en la despensa? No quiero ser melodramática, pero pongamos las cosas en perspectiva. La próxima vez que te sientas molesta por la carrera de tu esposo, pregúntate si tienes una queja legítima y si se pueden hacer modificaciones. Si es así, expón tus preocupaciones con calma y respeto. Por ejemplo, podrías comenzar con algo parecido a esto: «Cariño, ¿podemos sentarnos para evaluar cómo están nuestras vidas en este momento y para conversar acerca de lo que es más importante para cada uno de nosotros y para nuestra familia?». Si te das cuenta de que no se pueden hacer ajustes por cualquier razón, debes saber que tu esposo necesita tu aliento y tu apoyo mucho más que tu inconformidad. Haz lo que puedas para decirle que eres su seguidora número uno, que quieres que tenga éxito en el trabajo y que se sienta bien en cuanto a su capacidad para proveer para la familia. Con esta clase de animadora, deseará venir al hogar cada vez que le sea posible.

Por supuesto, en estos días, aumenta el número de padres que se quedan en la casa a medida que hay más mujeres que ganan salarios lo bastante altos como para ser el único sostén de la casa. Si tu familia entra en esta categoría, espero que alientes con amor a tu esposo de la misma manera en que quisieras que te apoyara a ti si te quedaras en casa. No esperes una casa impecable. Además, debes estar dispuesta a ayudarlo cuando sea necesario durante tus horas libres. Sé sensible ante el hecho de que, algunas veces, le debe resultar difícil lidiar con su condición hogareña (como a veces lo es para las mujeres), y elógialo por su disposición para desempeñar papeles tradicionales y así atender las necesidades de tu familia con mayor entusiasmo.

Dicho esto, ¿estás deseosa de ver cómo tu hombre tiene éxito en el lugar de trabajo, ya sea que se encuentre en un rutinario trabajo de oficina, en un trabajo independiente, en la carretera o al frente del hogar? ¿Quieres que se sienta bien con respecto a las contribuciones que le hace a la sociedad? ¿Deseas que los sueños que tiene en cuanto a su carrera se hagan realidad por el bien de su autoestima y su familia? Con seguridad, esto es lo que deseamos.

Un esposo necesita una animadora que lo apoye, no solo frente a sus responsabilidades de horario de trabajo, sino también ante sus pasiones fuera del trabajo. ¿Conoces a tu esposo lo bastante bien como para saber qué clase de actividades e intereses lo entusiasman y lo renuevan, qué necesita para sentirse pleno y con deseos de vivir? Es triste, pero tuve que aprender esta lección de la peor manera.

Cuando le robamos el gozo

Greg y yo nos conectamos por primera vez durante una salida que hizo la Escuela Dominical para asistir a un partido de béisbol de los *Texas Rangers*. No hacía mucho que nos conocíamos, pero sabía que me sentía atraída hacia él. Jamás olvidaré la expresión de su rostro cuando dije: «Debo regresar un minuto a la camioneta de la iglesia para buscar algo, pero guárdame un asiento, ¿de acuerdo?».

«¡Bueno, vaya, de acuerdo!», respondió con una mirada sorprendida y una hermosa sonrisita. Cuando me senté a su lado en las gradas, las cáscaras de maní ya casi le llegaban hasta los tobillos y se ofreció a compartir sus maníes conmigo. Durante la primera entrada, me advirtió que debería irse temprano porque debía jugar su propio partido de *sóftbol* esa noche. Le respondí que, al día siguiente, tenía turno con el médico muy temprano, y le dije que lo mejor sería que me fuera temprano con él, si no tenía problema de llevarme hasta casa. En lugar de dejarme en mi apartamento, me preguntó si me gustaría ir a ver su partido. Mi plan subliminal dio resultado. Una salida en grupo se convertía pronto en una cita de dos.

Con asombro, observé cómo jugaba en la primera base. A dos metros veinte, con una envergadura asombrosa, Greg mantuvo un dedo en la base y llegó hasta lo que parecía la mitad del camino hasta el montículo del lanzador para atrapar esas pelotas y tocar a los jugadores del equipo contrario que corrían fuera de la base. Durante nuestro noviazgo, pasé la mayoría de los sábados y al menos una noche a la semana en las graderías descubiertas alentando al equipo de Greg. A él le encantaba tener a su propia animadora personal en las gradas, y a mí me encantaba verlo jugar. Sin embargo, todo eso cambió después que nos casamos y tuvimos hijos. Al volver la vista atrás, pienso que es probable que estuviera molesta debido a que Greg tenía un pasatiempo recreativo que le encantaba y yo, bueno, tenía que ocuparme de los niños. Cuando iba a sus partidos, en lugar de prestarle atención a la primera base, debía asegurarme que mi hijito no se cayera por entre las gradas al cemento, o vigilar a mi hija para que no se escapara en busca de un abrazo de papá en el campo en un momento peligroso. Hasta cambié pañales en esas frías gradas de acero, lo que a mis bebés parecía no importarles, pero a mí sí me importaba. Comencé a tener terror de ir a los partidos.

También hubo otra razón por la que perdí el fervor por sentarme en las líneas de banda durante los partidos de Greg; me avergüenza admitirlo, pero sé que de seguro fue un factor. Mi atención no se desvió de Greg solo para concentrarse en los niños, sino que se desvió también hacia mis propias inseguridades al compararme con todas las demás esposas de los jugadores, en especial con las que todavía no tenían hijos. Tenían los cuerpos intactos, sin kilos de más ni estrías como producto de los embarazos. Llevaban puestos unos conjuntos deportivos ajustados que favorecían sus cuerpos torneados, sus curvas elegantes y sus pieles bronceadas, y yo me sentía sin gracia e intimidada. No me gustaba lo que veía cuando me comparaba mentalmente con las otras esposas, así que no quería estar cerca de ellas debido a las emociones negativas que despertaban mis celos.

Comencé a quedarme en casa cada vez más y a dejar que Greg fuera solo a sus juegos, aunque siempre me instaba a que fuera. Pensé que me había salido con la mía al negarme a ir, pero después de algún tiempo, temía oír el sonido de la puerta que se cerraba y del auto que se iba mientras yo me quedaba en casa con dos niños. No me gustaba que se fuera a los partidos porque quería que se quedara en casa conmigo, y me aseguraba que lo supiera antes de partir. Me parecía que para Greg, el *sóftbol* era una prioridad muy superior a nuestra familia, y me sentía engañada. Llegué a ver al *sóftbol* como si fuera una amante a la que le era más fiel que a mí. No podía darme cuenta de que era un escape que mi esposo necesitaba con urgencia para recargar sus baterías físicas, mentales y emocionales.

Entonces, un sábado por la noche todo entró en crisis. El equipo de Greg se encontraba en el campeonato final, lo que quería decir que si seguían ganando, seguían jugando. En secreto, deseaba que perdieran para que regresara a casa y estuviera con nosotros, pero estuvo fuera todo el día. Por fin, regresó a las nueve de la noche, cubierto de pies a cabeza con tierra colorada y con una gran sonrisa en el rostro. Enseguida anunció que no había venido para quedarse. Solo había venido a llevarse un sándwich porque jugarían de nuevo a las diez. Tenían buenas probabilidades de ganar el campeonato y de obtener el primer premio. No pude sentir ningún entusiasmo ante la noticia. Solo podía pensar en que se iría *otra vez*. En lugar de alegrarme, anuncié: «Me voy a la casa de mis padres y me llevo a los niños. Amas al *sóftbol* más de lo que amas a esta familia, ¡muy bien! ¡Ve a salir por allí con tus compañeros y quédate con tu pelota!».

El entusiasmo de Greg se convirtió en desolación. No podía imaginar que lo dejara por el enojo que me producía la situación y que me fuera a la casa de mis padres a pasar la noche. Me rogó que no traspusiera la puerta. Como eso no me conmovió, se echó al piso, frente a la puerta y dijo: «¡No permitiré que me dejes por esta causa! Esto se puede solucionar y lo haremos». Quedé desarmada cuando vi que podía llegar a semejante grado de humildad como para echarse frente a la puerta para no permitir que me marchara.

Cuando comenzó la siguiente temporada de *sóftbol*, Greg les dijo a sus compañeros que tenía demasiadas cosas entre manos como para comprometerse con el equipo. Hasta dejó de ver los deportes por televisión, lo cual fue un cambio dramático. Solía mirar fútbol americano todos los domingos por la tarde, pero se desconectó de los deportes hasta el punto de no saber siquiera quién estaba en el *Super Bowl* [campeonato de fútbol americano de los EE.UU.] ese año.

Durante varios años, Greg se convirtió en abstemio, sin jugar ni mirar ningún deporte por someterse a mis deseos. Con todo, al mismo tiempo, se estaba marchitando. Al no tener el desahogo que encontraba en el *sóftbol*, su trabajo lo estresaba más y sentía menos entusiasmo por la vida. En el momento, no relacioné el cambio que se había producido en Greg con su alejamiento de los deportes. Sin embargo, si hubiera tenido un compromiso mayor con el corazón de Greg y con la satisfacción de sus necesidades, hubiera visto que aunque había tenido éxito en lograr que pasara más tiempo con nuestra familia, lo había menospreciado por el amor que sentía hacia los deportes y lo había hecho sentir culpable. Fue como si le hubiera arrancado el corazón y se lo hubiera pisoteado.

Algunos años más tarde, cuando nuestro hijo de siete años manifestó su amor por el baloncesto, muchas veces los animaba para que salieran y practicaran unos tiros. Quería que Greg y Matthew se unieran al pasar juntos tiempo de calidad. Cuando querían ver un partido de baloncesto por televisión, no protestaba por el programa de decoración de la casa y el jardín que me perdería. Hasta llegué a acompañar a Greg y a nuestros hijos a varios partidos de baloncesto profesional.

Entonces, un día, se me hizo la luz y le pregunté a Greg: «¿Cuánto te costó renunciar por completo a los deportes durante esos años en los que te fastidiaba al respecto? ¿Es esa la razón por la que perdiste tu pasión por la vida durante un tiempo y ahora pareces haberla recobrado al disfrutar de los deportes junto a Matthew?». ¡Sorpresa! Le di en el clavo. Greg explica a continuación cómo lo afectaron mis demandas inspiradas por los celos:

Había jugado mucho al *sóftbol* antes de que Shannon y yo nos conociéramos. Fue una parte divertida de mi vida y me proporcionaba un desahogo para la agresión reprimida y una oportunidad para relacionarme con otros hombres de manera masculina. Es difícil explicar la manera en que mi vida se vio afectada al abandonar los deportes, pero no creo que haya sido de ayuda para nuestro matrimonio. Es más, puede haberle mostrado a Shannon que era mi máxima prioridad, pero me convertí en una persona con la que era mucho más difícil vivir. Al menos, comenzó en mi corazón una espiral descendente de resentimiento hacia ella porque no podía comprender la parte vital que eran para mí los deportes. Me sentí incomprendido y herido. Me sentía estafado por mi esposa. ¿Por qué tenía que crucificar mi amor por el *sóftbol* para hacerla feliz si esta había sido una de las cosas que le habían atraído de mí al principio? Me resultaba muy difícil de comprender. El primer año en que Shannon comenzó a asistir a mis partidos de *sóftbol* fue el mejor de mi vida. Hice mi primera anotación y me encantó que mi muchacha estuviera en las gradas, atenta por completo a mi desempeño.

Sin embargo, cuando Shannon dejó de venir a mis partidos, gran parte de esa alegría desapareció. Para colmo, debía hacerle frente al efecto secundario de llegar a casa para encontrarme con una esposa amargada y enojada. Al principio, traté de defender mi caso, pero mis habilidades para discutir nunca fueron demasiado buenas, y las de Shannon eran supremas, así que nunca podía lograr que comprendiera mi frustración. Parecía que lo único que le importaba era que *yo* entendiera *su* frustración.

Aunque renuncié al *sóftbol*, lo hice por obligación, y aunque me quedaba más tiempo en casa, no estaba allí con un corazón dispuesto. Nadie estaba feliz. Todos habíamos perdido.

Lamento muchísimo haberle quitado a Greg el gozo de jugar al *sóftbol* durante esos años de nuestro matrimonio. Lo estaba condenando por amar algo con pasión y por hacerlo bien. ¡Qué triste es hacer algo semejante! Además, quisiera que me trague la tierra al pensar en los muchos recuerdos maravillosos que nuestros hijos hubieran acumulado si hubieran crecido viendo cómo su papá anotaba tantos y más tantos, y detenía a muchos jugadores en primera base como yo había presenciado en nuestros primeros años.

Aunque no puedo rebobinar la cinta, puedo asegurarme que, ahora, Greg sepa que cuenta con todo mi apoyo cuando quiere jugar o mirar algún deporte. Las cosas son muy diferentes en estos días. Él juega al baloncesto todos los lunes y viernes, pero lo hace durante la hora del almuerzo para no restarle ese tiempo precioso a nuestra familia. Este grupo de jugadores considera este tiempo de juego como «compañerismo entre hombres» que es crucial para su semana. Si Greg se pierde uno o dos partidos, siente que se le acumula el estrés y necesita salir y cortar árboles o debe hacer alguna otra cosa esa semana para compensar. Al igual que muchos hombres, tiene una necesidad genuina de participar en alguna clase de actividad física intensa en forma metódica.

Hace poco, fui al gimnasio durante la hora del almuerzo de Greg, a fin de sentarme en la línea de banda y verlo jugar. Me dijo que el solo hecho de saber que lo estaba mirando y admirando lo ayudó a jugar mejor ese día, ¡hasta mejor que cuando tenía veinte años! Los compañeros le hacían bromas y le decían cómo había hecho alarde delante de su animadora personal, y luego, varios comentaron que les gustaría que sus esposas vinieran a verlos jugar (sorpresa que preparamos algunas semanas después).

Además, Greg mira un partido por televisión de vez en cuando, pero tratamos de que sea un acontecimiento familiar, acurrucados en el sofá con palomitas de maíz. Este año, vio su primer *Super Bowl* en diez años y disfrutó de cada minuto de este partido, porque yo no trataba de hacerlo sentir culpable por descuidarme.

Por supuesto, si tu esposo juega al *sóftbol* varias veces a la semana y los fines de semana, o se pasa todo el domingo en el campo de golf, su amor por los deportes no está equilibrado. Sin embargo, en la mayoría de los casos, los dos pueden llegar a un acuerdo si presentan sus preocupaciones de una manera calmada y respetuosa.

Tal vez tu esposo no tenga una pasión por los deportes, sino por alguna otra actividad que le proporcione gozo y satisfacción. Quizá le guste estar al aire libre para pescar, cazar o trabajar en el jardín, o se sumerja en algún nuevo programa de computación o se esconda en el sótano con su guitarra u otro instrumento musical. Cualquiera que sea el pasatiempo de tu esposo, te aliento a que no interpretes la pasión que siente como algo que te juega en contra. No seas su oponente al suponer que usa estos pasatiempos como un escape de la familia (lo más probable es que no sea verdad). En cambio, aliéntalo a hacer cosas que le gusten y que le den energía. Cuando les permitimos este espacio a nuestros esposos, los inspiramos para que regresen a nosotras mucho más felices, con un mayor deseo de conectarse en lo emocional.

Una de las maneras más rápidas en las que una esposa puede sofocar la llama de la pasión en el corazón de su esposo es abandonando su lugar como animadora. Por lo tanto, haz lo que puedas para ayudar a tu esposo a que sienta tu amor y tu apoyo, ya sea que esté en el trabajo, en el hogar o haciendo algo que le encante. Sé la persona que lo conoce mejor, que lo ama más y que lo anima en cada situación.

la comparación de manzanas con naranjas

Ya sea en la clase de economía doméstica en el instituto o cuando éramos estudiantes universitarios muertos de hambre, la mayoría de nosotros pronto aprendió a hacer comparaciones en las compras. Cuando era adolescente, recuerdo que iba de un concesionario a otro en busca del auto adecuado, devolvía un vaquero porque encontraba otro más barato en otra tienda, incluso, recuerdo que leí la revista de informes al consumidor antes de comprar mi primera computadora. El aprendizaje del arte de comparar nos hace compradores mucho más listos.

Sin embargo, el arte de la comparación puede maldecir nuestras relaciones, en especial la del matrimonio.

¿Por qué no te puedes parecer más a...?

Uno de los errores más vergonzosos que cometí fue decirle una vez a Greg, al comienzo de nuestro matrimonio: «¿Por qué no puedes acercarte a mí con una pasión tan arrolladora como a la que estoy acostumbrada? Si pudieras mostrar un poco más de entusiasmo en hacerme perder la cabeza y terminar en la cama, estaría más dispuesta a ir a parar allí».

Me respondió de manera gentil, pero firme: «Shannon, jamás me compares con otro hombre con el que, para empezar, no te correspondía tener relaciones sexuales».

Fue otro momento terrible en la vida de Shannon Ethridge, pero se trató de una llamada de atención muy necesaria que me señaló que fui injusta al comparar a Greg con un amante del pasado. Si se hubieran cambiado los papeles y Greg hubiera dicho algo como: «¿Sabes? No eres tan delgada y tan hermosa como algunas de las otras muchachas que me han atraído. Si perdieras algunos kilos y te arreglaras un poquito más, te prestaría mucha más atención» me hubiera atravesado con una lanza. Estoy segura de que, en ese momento, él se debe haber sentido de la misma manera.

Luego de mucha reflexión, me di cuenta de que aunque el muchacho con el que comparaba a Greg era muy persuasivo, yo no era la única mujer a la que persuadía. Este hombre llevaba años de experiencia metiéndose a las mujeres en el bolsillo, además de varias ex novias y ex esposas que daban testimonio de esta cualidad. Si hubiera seguido adelante con esa relación, le hubiera tenido la suficiente confianza como para mandarlo a pasear.

Greg, en cambio, era virgen cuando nos casamos. No había tenido experiencia sexual previa, porque se guardaba para *mí*. Todo lo que podía faltarle en la sección de meloso y desenvuelto le sobraba en la sección de confianza. Cuando éramos novios, nunca tuve que preocuparme por pensar si Greg miraba a otra mujer o si yo no era más que otro trofeo en su exhibición de relaciones. Demostró lo que era cuando me observó caminando por el pasillo de la iglesia con un vestido blanco que, con dignidad, cubría todos los amargos errores sexuales cometidos antes de que apareciera él. No se estremeció cuando le confesé mi sórdido pasado antes de comprometernos. Y ahora, yo había caído tan bajo como para compararlo con un hombre que no valoraba en absoluto la pureza sexual, ni la suya, ni la mía. *¡Puf!*

Es lamentable, pero no soy la única esposa que ha caído en la trampa de comparar a su esposo con otros hombres. Mira estos comentarios y pregúntate si alguna vez has hecho alusión a tales sentimientos de algún modo:

✳ «Su esposo sigue sacándola todas las semanas y a menudo le envía tarjetas y flores. ¿Cómo puede ser que tú ya no lo hagas conmigo?».

✳ «¿Por qué no puedes estar disponible para los quehaceres de la casa como lo estaba mi padre? ¡Él hubiera arreglado ese problema en un abrir y cerrar de ojos!».

✳ «Me hace sentir especial que los hombres de la oficina se tomen unos momentos para hablar conmigo y para preguntarme cómo me va. ¿Por qué tú no puedes mostrarme ese interés?».

✳ «A juzgar por la manera en que cuida el jardín, debe amar a su esposa de verdad. ¿Cómo crees que me siento al mirar el aspecto que tiene nuestro jardín?».

Por supuesto, la comparación que hacemos de nuestros esposos con otros hombres es solo una parte del problema. Algunas veces, también nos ponemos nosotras debajo del microscopio para compararnos.

«Me gustaría que fuera tan bonita como...»

Casi todas tenemos a alguien cerca que nos lleva a comparaciones malsanas, ya sea la animada entrenadora que nos guía en el grupo de gimnasia, la amita de casa que vive al lado y tiene todas sus fotografías en un libro con recortes de Recuerdos Creativos y les corta los sándwiches a sus hijos con formas de estrellas, o las sexy reinas del *glamour* que decoran las pantallas de los televisores. A Jamie, la tentación de comparar le puede venir desde todos los ángulos. Escribe:

> Cuando mi esposo me lleva a cenar, no puedo evitar mirar a las otras mujeres que están en el restaurante y fijarme si son más corpulentas, más pequeñas o más bonitas que yo. Si estoy a la altura de las circunstancias, me siento inflada de orgullo. Si no lo estoy, me siento muy acomplejada y me concentro más en mí que en mi esposo. Por lo general, después me lleva al cine, pero detesto cómo me siento con respecto a mí misma, luego de ver la película.

Las mujeres como Julia Roberts y Sandra Bullock se ven fantásticas, incluso en los momentos en que su apariencia es desastrosa. Cuando era más joven y más delgada, las celebridades femeninas no me intimidaban tanto, pero ahora que estoy en la década de los cuarenta, es difícil no deprimirse cuando me miro al espejo e imagino que nunca llegaré a verme mejor.

Incluso cuando voy al gimnasio y trato de hacer algo positivo para cambiar mi cuerpo (por millonésima vez), no puedo evitar ver los cuerpos firmes y delgados que solo me recuerdan por qué desearía haberme cuidado mejor cuando tenía veinte años o treinta.

Las mujeres de todas las edades pueden comprender los sentimientos de Jamie. Es fácil compararnos con otras mujeres y cavilar sobre todas las maneras en que no estamos a la altura de las demás. Como mencioné antes, esta es una de las principales razones por las que no quería ir a los partidos de *sóftbol* de Greg, porque no me sentía a la altura de las otras esposas «más bonitas». Cuando lo hacemos, nos privamos de paz, gozo y confianza. Además, cuando hacemos preguntas como: «¿Soy tan bonita como ella? ¿Soy tan buena cocinera? ¿Soy tan buena ama de casa?», en busca de aprobación, también ponemos a nuestros esposos en un increíble aprieto. La mayoría de los hombres son lo bastante listos como para saber que la respuesta a cualquiera de estas preguntas siempre debe ser: «¡Por supuesto, querida!», así que no te molestes en hacerlas. Lo único que logras es magnificar tus inseguridades tanto a sus ojos como a los tuyos. Asimismo, pones sobre los hombros de tu esposo la carga de la responsabilidad de hacerte sentir bien contigo misma, pero este sentimiento es un regalo que solo puedes darte *tú*.

Por supuesto, no les haríamos justicia a los esposos si no nos refiriéramos a otra clase de comparación que los vuelve locos.

Estar a la altura de los demás

Muchas veces, Greg se ha visto atrapado en medio de mis deseos conflictivos. Por un lado, le digo que quiero que pase más tiempo con nuestra familia, y por el otro, le digo que quiero tener un estándar de vida más alto. A continuación, Greg describe el impacto que esto tiene en él y en nuestra relación.

Uno de los mayores desafíos que he tenido como esposo y padre ha sido encontrar un equilibrio saludable entre el tiempo que paso con mi familia y el que invierto en mi carrera para proporcionarle a Shannon el estándar de vida que desea. Cuando nació nuestro primer hijo, Shannon quiso dejar de trabajar para quedarse con el bebé, y yo deseé que su sueño se hiciera realidad. Trabajé mucho para asegurarme que ascendía lo suficiente en el campo laboral como para cubrir los gastos, cada vez más altos, de la paternidad. Establecimos un presupuesto ajustado y nos arreglamos bien. Sin embargo, cuando llegó el segundo bebé, Shannon quiso mudarse a una casa mayor. La casa donde vivíamos tenía mucho lugar para una familia joven de cuatro (tres dormitorios y dos baños), por lo tanto, pensé que lo que necesitábamos eran menos cosas, no más espacio.

Cuando la casa más bonita del vecindario salió a la venta, supe que me encontraba en problemas. Tenía cuatro dormitorios y dos salas de estar. No obstante, también costaba cincuenta mil dólares más que la casa donde vivíamos. Cuando fuimos a verla, supe que el corazón de Shannon ya se había decidido. La dueña anterior era decoradora de interiores quien creó cada detalle de esa casa según el modelo de una pintoresca casita colonial. La casa era su «tarjeta personal» para atraer clientes. Una vez más, quise hacer realidad los sueños de Shannon, así que corrimos el riesgo y la compramos. Una vez que nos mudamos, nos dimos cuenta de que nuestra decoración no combinaba de manera exacta con el encanto colonial de la casa, así que comenzamos a sustituir un mueble tras otro, lo cual dejó nuestra chequera cada vez más escasa. Con dos bebés en la casa, no tenía mucho sentido que Shannon le pagara a una niñera para poder trabajar y ayudar financieramente, así que la carga cayó solo sobre mis hombros.

Luego, a los dos años de vivir en esa casa, Shannon se me acercó con el cantito: «No satisfaces mis necesidades emocionales». Me encontré preso en medio de sus expectativas. ¿Cómo podía satisfacer sus necesidades emocionales si tenía que trabajar más horas para pagar el estándar de vida que quería? Por más bonita que fuera la casa, tengo muy pocos recuerdos agradables del tiempo que vivimos allí. Shannon se sentía sola y desdichada, porque la mayor parte del tiempo solo tenía a dos niños como compañía, y yo me sentía infeliz en el trabajo por las preocupaciones de cómo nos las arreglaríamos para comprar los muebles que queríamos y seguir a flote en el aspecto financiero.

Debo estar de acuerdo con Greg. Me encantaba esa casa de estilo colonial, pero los tres años que vivimos allí fueron, sin lugar a dudas, los más dolorosos de los dieciséis años que llevamos juntos. El deseo de tener más cosas para llenar esa casa y la presión que esto puso sobre nuestro presupuesto trajo como resultado muchos desacuerdos y desconexiones emocionales.

Recuerda, la mayoría de los hombres no necesitan muchas cosas para ser felices. Antes de casarnos, Greg fue muy feliz en un apartamento casi vacío durante dos años. Aunque he aprendido a decorar con un presupuesto bajo, la lección más importante que he aprendido es que la felicidad genuina no proviene de tener cosas más bonitas ni una casa mayor. La felicidad se encuentra en el amor que nos tenemos el uno al otro y en los recuerdos que formamos como familia.

La clave para el contentamiento

¿Cómo puedes abstenerte de la clase de comparaciones que alimentan el descontento? Lo opuesto a comparar y quejarse es, por supuesto, estar contento con el lugar en que estás y con lo que tienes, es negarte a permitir que sueños irreales acerca del futuro te impidan ver que hoy es un día muy bueno. No decimos que esté mal tratar de mejorar nuestra situación actual, ya sea ayudando a tu esposo a convertirse en una mejor persona, mejorando tú misma para poder estar más en paz o poniendo al día el ambiente en el que vives para que sea más propicio para forjar recuerdos felices. La lucha para tener cambios positivos es algo bueno, siempre que no sea a expensas de la unidad matrimonial, como lo fue en los casos que contamos en este capítulo.

La clave para el contentamiento no es tratar de hacer que tu esposo se parezca más al señor fulano de tal, ni esforzarte por parecerte más a la señora fulana de tal, ni tratar de tener una casa tan bonita como la que tiene otra persona en la manzana. La clave del contentamiento es evitar las comparaciones malsanas y estar agradecido por lo que tienes.

Si estás leyendo este libro, lo más probable es que tengas un esposo, algo que desearía tener la mayoría de las solteras. Si puedes levantarte para hacer ejercicio, hazlo con un corazón feliz, dándole gracias a Dios por la buena salud que tienes. Si tienes hijos, da gracias por no ser una de las tantas que luchan contra la infertilidad un mes tras otro. Si tienes un techo sobre la cabeza, comida en la despensa y combustible en el auto, en realidad te encuentras entre las personas más ricas del planeta, en comparación con los que viven en muchos países.

La próxima vez que te sientas tentada a comparar manzanas con naranjas, o a comparar tu situación con otra que, en apariencia es mejor, recuerda que Dios ha preparado estas bendiciones de manera especial para ti, sobre todo para este momento de tu vida. Te ha dado un tamaño, una forma y una personalidad únicos, a fin de que los uses para su gloria en lugar de hacerlo para la tuya. Te ha dado un esposo maravillosamente único (y tal vez unos hijos con la misma cualidad), hasta con algunas fallas de carácter que sirven como grandes recordatorios de que nadie es perfecto en todos los sentidos. Te ha bendecido con una casa cómoda donde puedes refugiarte del mundo y crear recuerdos que satisfarán tu corazón cada vez más a medida que pasan los cumpleaños.

No hay nada, en absoluto, que se compare con el gozo de encontrar contentamiento en estos dones notables que el Señor ha derramado sobre ti. Además, la demostración de este gozo es el secreto para avivar la llama de tu esposo hacia ti. Si no, pregúntale a cualquier esposo cuya esposa haya aprendido el arte del contentamiento en lugar del de la comparación, y lo más probable es que te diga que es un hombre feliz.

Otórgate el regalo de la aprobación

En lugar de mirar a los demás para que nos hagan sentir bien con nosotras mismas, tratemos de levantar los ojos a Dios en busca de su opinión, luego, miremos hacia dentro para reconocer esas cosas que nos gustan de nosotras y que nos hacen sentir bien. Además, prueba uno de estos ejercicios:

* Haz una lista de diez cosas que te gustan de ti. Procura concentrarte en diversas cosas, como tus atributos físicos, mentales, emocionales y espirituales.

* Lee varios versículos de Proverbios y resalta los positivos que te parece que te describen (fija tu atención en pasajes de aliento, como el de la mujer de Proverbios 31, en lugar de concentrarte en pasajes desalentadores como el de la adúltera de Proverbios 5). Dale gracias a Dios por la sabiduría que te ha dado como hija suya.

* Haz una lista de las bendiciones más asombrosas que Dios te ha dado (cosas que ha hecho por ti, personas especiales que ha puesto en tu vida, etcétera), luego, crea un «jardín de bendiciones». A mí me gusta poner piedras alrededor de un árbol, pero a ti quizá te guste plantar flores en algún lugar apropiado. Por cada bendición, coloca en forma estratégica una piedra o una flor formando un diseño bonito, o ponlas alrededor de un árbol. Cada vez que pases junto a ese lugar, sonríe y recuerda cuán bendecida eres.

* Separa una tarde o una noche para hacer algo que te encante, pero hazlo sola. Por ejemplo, puedes caminar, leer, escuchar música, disfrutar de un pasatiempo favorito, etcétera. Disfruta de este tiempo de calidad con tu compañera más íntima en esta tierra (¡tú misma!).

* La próxima vez que hagas ejercicio, piensa en todo lo que haces con el grupo de músculos con los que estás

trabajando. Por ejemplo, tus brazos pueden levantar a los niños o abrazar a tu esposo. Las piernas pueden llevarte a la iglesia. Los ojos leen la Palabra de Dios y hacen que los demás se sientan bien cuando los miras con una sonrisa. Ya entiendes a qué me refiero. Al trabajar cada músculo, dale gracias a Dios por permitirte ser un templo del Espíritu Santo. Dale gracias por haberte elegido para realizar su obra a través de ti.

casado con la sra. (siempre) perfecta

Una de las bromas más memorables que escuchara jamás provino de un anciano que se encontraba en un hogar de ancianos que dijo: «Hace sesenta años, me casé con la Sra. Perfecta. En ese entonces, ¡no sabía que su primer nombre era Siempre!».

A pesar de que en ese momento el comentario me pareció gracioso, desde entonces ha vuelto muchas veces a mi mente, ya que lucho por querer tener el control sobre las cosas y sobre las personas que están en mi vida. Hasta solía decirles en broma a mis amigos: «¡Greg lleva la batuta, pero *yo* dirijo la orquesta!». Sin vacilaciones, Greg era el principal proveedor de la familia. Pagaba todas las cuentas y se ocupaba de los trabajitos que había que hacer en la casa, pero yo quería tener la palabra final en casi todo. Casi siempre *deseaba* con urgencia el control, pues me sentía muy *fuera de control*.

¿Esto te parece conocido?

Aunque con los años me he vuelto mucho más segura en cuanto a mí misma y a mi relación matrimonial, no puedo decir con sinceridad que el problema del control es algo que pertenece al pasado por completo. Por eso me sentí culpable al leer estos correos electrónicos. Marty, casado hace ocho años, escribe:

Parece que mi esposa piensa que su manera de hacer las cosas es la única, en especial, cuando se trata del trabajo de la casa y del cuidado de los hijos. Ni siquiera me permite tener mis propias ideas sobre cómo hacer algo. Las cosas se hacen a *su* manera o se arma la gorda. Cuando uso un paño diferente al que usa ella, a menudo para quitar el polvo, pierde la compostura. ¿Tiene alguna importancia siempre y cuando quite el polvo de los muebles? Una vez, puse un desodorante ambiental en el baño, pero no tenía la fragancia que ella usa de costumbre en esa habitación, así que me pidió de mala manera que no «mezclara diferentes esencias». ¿Por qué habría de saberlo? También soy una especie de fanático del orden y, de vez en cuando, me tomo un tiempo para organizar la alacena, pero después se queja de que no puede encontrar nada. Siento que la única manera de complacerla es cerrando la boca y permitiendo que me diga qué hacer y cómo hacerlo, ¿pero existe algún hombre que pueda sentirse bien consigo mismo cuando actúa como alguien fácil de controlar?

Lo que señala Marty es verdad. Nuestros esposos no pueden leer la mente, y pueden tener sus propias ideas acerca de cómo prefieren realizar diversas tareas. Siempre y cuando se hagan, ¿hay necesidad de que se hagan como decimos *nosotras*? Solo si queremos que a nuestros esposos les moleste tener que ayudarnos.

Aquí tenemos otro ejemplo de una queja típica de los hombres. Brent, que está casado hace trece años, explica:

Parece que a mi esposa, Alicia, le gusta disfrutar de una buena pelea y siempre debe tener la última palabra, aunque tenga que musitarla a mis espaldas cuando me voy de la habitación. Algunos de sus comentarios me ponen furioso: «¡Te lo dije!», o «¡Ya lo veremos!»; incluso se burla de mis últimas palabras de una manera increíblemente infantil. Si respondo, sé que la discusión se prolongará y las cosas empeorarán, pero no puedo evitar preguntarme: ¿por qué siente la necesidad de tener siempre la última palabra?

¿Te parece conocido? Si es así, ¿cuál puede ser la razón por la que procuras ganar las discusiones o quieres tener la última palabra? ¿Será para sentirte superior, más inteligente o para sentir que sabes expresar tus ideas? ¿Recurres al comportamiento infantil porque no has aprendido a responder a un conflicto como una adulta madura o tratas de infligirle un daño a tu esposo para sentir alguna clase de justificación o venganza por tu propio dolor?

Cuando insistimos en tener la última palabra, no resolvemos ningún desacuerdo. Lo único que hacemos es dejar grabada esa última palabra en la mente de nuestro esposo cuando se va de la habitación, sintiéndose resentido y falto de respeto. Estoy segura de que estarás de acuerdo conmigo: ganar una discusión no es ni remotamente tan importante como ganar, en definitiva, la admiración y el afecto de tu esposo. Jack, casado hace poco menos de treinta años, escribe:

> A menudo, mi esposa se esconde detrás de una máscara espiritual. Cuando no estamos de acuerdo acerca de algo que deberíamos hacer o no, dice algo así: «Bueno, he orado al respecto, ¿y tú?» o «De verdad, siento que Dios dice...». Creo que puede oír la voz de Dios, pero me trata como si yo no pudiera hacerlo. Por cierto, quiero que se someta a Dios en un grado mayor al que se somete a mí, pero detesto cuando juega «la carta de Dios».

Ten cuidado de jugar la carta de Dios, como lo expresa Jack a la perfección. En el caso de muchas mujeres, esto no es más que una forma espiritualizada de control sobre sus esposos. Si este es el caso, ¿puedes imaginar cómo se siente Dios cuando usamos su nombre para justificar los intentos que hacemos para controlar a nuestros esposos? Con humildad, debemos recordar que nuestros esposos creyentes pueden oír la voz de Dios con la misma facilidad que nosotras, y siempre existe la posibilidad de que Dios pueda darles una palabra que aún no hemos recibido nosotras.

Por último, si insistes en tener todo de tal o cual modo antes de que llegue una visita, puedes sentir un poco de remordimiento al leer las palabras de Rick:

Lo que más me frustra con respecto a mi esposa es que se vuelve loca si todo no está perfecto por completo cuando llegan las visitas. Me da miedo abrirle nuestra casa a cualquiera. Por lo general, me hace correr como loco haciendo un sinfín de cosas, pero si no me apuro lo suficiente o si, Dios no lo permita, me olvido de hacer algo, se pone hecha una furia. Si algo se me escapa de la mente de vez en cuando, no significa que sea un esposo terrible, ¿no es cierto?

No, Rick, no eres un esposo terrible. Greg no pudo evitar una risita cuando leyó este correo electrónico. Es lamentable que tenga una dolorosa identificación con los estándares perfeccionistas de una esposa. Una vez, grité: «¡Basta de dejar huellas por toda la casa!», solo porque había dejado una marca en la colcha luego de sentarse en la cama para quitarse los zapatos. En otra oportunidad, me sentí molesta porque Greg apagaba las luces que yo había encendido para crear cierto ambiente en la habitación donde habíamos recibido visitas. Otra vez, perdí la compostura porque se olvidó de recoger excremento de animal que había en el patio antes de que llegaran nuestros invitados. Estos estallidos no me enorgullecen, pero he aprendido un secreto. Si para mí es tan importante que se realicen ciertas tareas antes de que lleguen las visitas, le hago una lista a Greg el día anterior. De esta manera, puede organizar su tiempo como le conviene, sin tener que preocuparse por olvidar algo que le he pedido.

Entonces, ¿por qué nos volvemos tan controladoras cuando están a punto de llegar las visitas? Porque deseamos que nuestros invitados se sientan especiales, pero también me parece que puede tratarse de un problema de orgullo. Queremos que los demás piensen que somos una familia perfecta que vive en una casa perfecta. Sin embargo, la realidad es que todos cometemos errores en ocasiones: pasta dental en el lavabo o marcas en la colcha. Tal vez, deberíamos concentrar más nuestro esfuerzo en crear una mentalidad hospitalaria antes de que lleguen las visitas, en lugar de obsesionarnos por cada detalle de nuestras casas y por cada descuido de nuestros esposos.

Cuando tu esposo no puede realizar una tarea que le pediste, lo más probable es que no sea más que una señal de que es humano y puede olvidarse de las cosas (como te sucede a ti), *no* una señal de que no te ama, te respeta, ni te valora.

Quejarse cuando las cosas no se hacen a *nuestro* modo... insistir en tener la última palabra... jugar la carta de Dios... exigir perfección antes de que lleguen las visitas: ¿alguna de estas cosas te resulta conocida? Si es así, exploremos más a fondo lo que hay detrás de esta dinámica en las relaciones.

Comprendamos el deseo del control

¿Qué hay casi siempre detrás del deseo por el control de una mujer? Los expertos concuerdan en que la gran necesidad de control es, en realidad, la manifestación externa de las inseguridades interiores que sentimos. Cuando somos buenos con nosotros mismos, a menudo lo somos con casi todos los que nos rodean. Sin embargo, cuando no nos sentimos muy bien con respecto a nosotros mismos, muchas veces procuramos echarle la culpa a alguna otra persona, mientras les damos vueltas a pensamientos como: *Si mi esposo fuera más atento... Si mis hijos se portaran mejor... Si mi casa estuviera más en orden... Si mis compañeros de trabajo fueran más agradecidos... Mi mundo sería un lugar mejor y me sentiría y actuaría como una mejor persona.*

Por supuesto, las mujeres controladoras te dirán que *deben* ser controladoras para que se hagan las cosas, porque sus esposos son demasiado pasivos. Sin embargo, valdría la pena que nos preguntáramos: *¿Soy controladora porque él es pasivo o él es pasivo porque soy tan controladora?*

Las raíces de la pasividad masculina y del control femenino se pueden rastrear hasta llegar al jardín del Edén. Si recuerdas Génesis 3:6, Adán se encontraba justo al lado de Eva cuando ella mordió la fruta prohibida. Tomaba el control de lo que, según su parecer, le estaba reteniendo Dios. De manera pasiva, Adán le permitió a Eva que se rebelara y hasta siguió su ejemplo. Muchas veces me he preguntado si Adán habrá pensado que no someterse a la petición de Dios de abstenerse de comer aquel fruto, parecía ser un mal menor que no someterse al pedido de su esposa de ser partícipe de su acción. Más allá de cuál fuera el motivo para pecar, la pasividad de Adán dejó una marca perdurable en la humanidad, como lo hizo el deseo de control de Eva.

Cuando procuramos tener el control en lugar de ser sumisas, seguimos los pasos de Eva. Cuando buscamos el control, algunas veces *creamos* en nuestros esposos justo el comportamiento que aborrecemos. Confieso que en el pasado fui culpable de insistirle a Greg que hiciera las cosas a mi manera, y de resentirme luego porque no era un líder fuerte en nuestro hogar. Lo he arrastrado hasta el consultorio del terapeuta por sus «problemas de pasividad», cuando, en realidad, mis problemas de control eran la verdadera raíz de nuestros problemas. Una vez que se presenta esta dinámica, se da lo que Jesús dijo en Marcos 3:25: «Y si una familia está dividida contra sí misma, esa familia no puede mantenerse en pie». Se crea un callejón sin salida para ambos cónyuges. Ella quiere que lidere él, pero no quiere soltar las riendas. Él se siente condenado si renuncia al control y condenado si no lo hace. Cuando los cónyuges entran en una guerra de poder, nadie gana. No podemos completarnos como equipo si competimos el uno con el otro por el control.

Por lo tanto, cuando las mujeres preguntan: «¿Cómo me las arreglo para que mi esposo tome el volante y sea el líder?», les digo: «¡Bájate del asiento del conductor!». En la mayoría de los casos, mientras la esposa trate de manipular y de controlar, casi siempre su esposo viajará en el asiento trasero por el bien de la unidad y en un esfuerzo por hacerla feliz. En cambio, si una esposa confía en su esposo y lo sigue, aun cuando no esté del todo de acuerdo con la manera en que conduce o hacia dónde la lleva, él puede desarrollar el valor o el deseo de convertirse en el líder que ella desea que sea.

Un modelo de sumisión mutua

Por supuesto, cuando hablamos acerca de confiar en tu esposo y de seguirlo, no nos referimos a una sumisión ciega a alguien que abusa de los privilegios de su liderazgo y exige que lo obedezcas sin importar el costo emocional o espiritual. Esto se parece a la relación entre esclavo y amo. Ninguno de los dos debería procurar controlar al otro.

Por eso, la Escritura nos enseña el sometimiento *mutuo* de los unos a los otros y a trabajar juntos como equipo hacia un objetivo en común: la armonía y la unidad. Pablo explica el modelo de sumisión mutua en Efesios 5:21-25:

Sométanse unos a otros, por reverencia a Cristo. Esposas, sométanse a sus propios esposos como al Señor. Porque el esposo es cabeza de su esposa, así como Cristo es cabeza y salvador de la iglesia, la cual es su cuerpo. Así como la iglesia se somete a Cristo, también las esposas deben someterse a sus esposos en todo.

Esposos, amen a sus esposas, así como Cristo amó a la iglesia.

Una vez más, fíjate que Pablo les encarga tanto al esposo como a la esposa que se sometan *el uno al otro*. Es una calle de dos vías. Además, estas posiciones no son condicionales. No podemos esperar hasta sentir que el otro cónyuge se ha ganado esa sumisión antes de comenzar a hacer nuestra parte.

Tal vez, la lectura de este pasaje te remueva la amargura, porque sientes que tu esposo no te ama como Cristo amó a la iglesia. Es probable que pienses: *Bueno, si me amara así, no tendría ningún problema en someterme a él*. No lo tomes a mal, pero quiero que recuerdes que este no es un libro sobre cómo cambiar a tu esposo. Es un libro sobre cómo una mujer puede cambiar su manera de relacionarse, de modo tal que su esposo responda como anhela ella. Con ese objetivo en mente, pensemos en la sumisión en virtud de cómo podría funcionar en el mundo corporativo.

Un ejemplo del mundo corporativo

Piensa en el ejemplo de un director ejecutivo y un jefe de producción. (Para simplificar, nos referiremos al director ejecutivo como «él» y al jefe de producción como «ella».) A fin de cuentas, el director ejecutivo es el líder al mando, pero delega la autoridad para conducir las operaciones diarias a la jefa de producción. Esta tiene la libertad de establecer objetivos, dirigir al personal, tomar decisiones y hacer sugerencias, de ofrecer sus puntos de vista, etc., pero lo hace como una *extensión* del director ejecutivo, no porque le parezca que él es incompetente o que no está dispuesto a hacerlo por sí mismo. Controla, de manera constructiva, muchos campos de operación, pero siempre respeta el hecho de que está cubierta bajo la autoridad del director ejecutivo. Su posición no es en absoluto una amenaza para él, sino más bien un beneficio y una bendición.

Ahora bien, aplica esta misma dinámica de relaciones al matrimonio. En definitiva, Dios les ha encomendado a los esposos que sean la cabeza espiritual de la casa, pero también creó a la mujer como la «ayuda idónea» del hombre. Piensa en la mujer como una jefa de producción, si así se puede llamar, que se encuentra bajo la autoridad de su esposo, el director ejecutivo de la familia. Puede ser la que establezca ciertas metas, la que tome la batuta en muchos aspectos, la que dirija al personal (o a los hijos), la que tome decisiones, etcétera. Sin embargo, en lugar de hacerlo molesta porque su esposo no está todo el día a su lado, o porque siente que él es incapaz de hacer estas cosas, desempeña este papel con excelencia como una extensión suya. Se encuentra bajo su autoridad, pero de buena gana recibe la delegación de ciertos campos de responsabilidad como una parte vital del equipo de su esposo.

Muchas mujeres se quejan de que sus esposos no toman la iniciativa en los devocionales familiares ni en los momentos de oración juntos. Entonces, ¿qué tiene de malo que la esposa actúe como la jefa de producción y, con alegría, *se ofrezca* a leer un pasaje de la Biblia o a orar, o a *invitar* con respeto al director ejecutivo a que lo haga? Es probable que te sorprendas ante lo bien que puede recibirse esta invitación, si se hace con la actitud adecuada. Recuerda, por el solo hecho de que la esposa tenga la idea o tome la iniciativa con mayor frecuencia, no quiere decir que sea la líder espiritual. Solo quiere decir que es una gran compañera de equipo. Esta es la opinión de Greg sobre este asunto:

> No puedo hacer el énfasis suficiente en lo importante que es que una mujer se plantee este asunto con gran sensibilidad. Para un esposo, puede ser de gran bendición que su esposa inicie los devocionales familiares y los momentos de oración con un corazón alegre. No obstante, cuando lo hace con desprecio hacia él, lo hace sentir humillado y resentido. Te mostraré lo que quiero decir al darte dos ejemplos diferentes.

Enviamos a nuestros hijos a la cama treinta minutos antes de que se apaguen las luces, con la expectativa de que lean la Biblia y tengan alguna clase de tiempo a solas con Dios. Sin embargo, una noche, llegaron las ocho y media, hora en que Matthew debía irse a la cama, pero faltaban menos de dos minutos en el reloj en un partido de los *Dallas Mavericks* (que, en realidad, pueden ser más de diez minutos). Matthew nunca hubiera entendido si yo hubiera sido legalista y le hubiera dicho: «No, debes ir a tu habitación para tener tu tiempo a solas con Dios ahora mismo. Te diré quién ganó cuando venga a arroparte». Entonces, decidí dejar que se quedara en la sala hasta que terminara el partido.

A las ocho y cuarenta, Shannon me llamó a nuestra habitación donde se encontraba haciendo algo en la computadora. Con un tono increíblemente condescendiente dijo: «Tal vez, los momentos de quietud de los niños no sean una prioridad para ti, pero lo son para mí. ¿Hasta cuándo pasarás por alto la hora de irse a dormir de Matthew?». Supuso que yo estaba tan absorto en el partido que había perdido la noción del tiempo. Sin embargo, era muy conciente de la hora y estaba haciendo lo que me parecía mejor, dada la situación. Me fui de la habitación disgustado por su actitud.

Pasaron varios meses. Una noche, cuando nos íbamos a dormir, Shannon me miró a los ojos y con mucha dulzura me dijo: «Greg, ¿alguna vez piensas que no pasamos todo el tiempo que deberíamos conversando acerca de asuntos espirituales en familia? Sé que llevamos a nuestros hijos a la iglesia y que asisten a escuelas cristianas, pero algunas veces me pregunto si podríamos concentrarnos más en su crecimiento espiritual aquí en casa. ¿Qué te parece?».

La actitud de Shannon esta vez fue diferente por completo. No me estaba señalando con el dedo. Se estaba mirando al espejo y cuestionaba la imagen que este le devolvía, una imagen que yo no podía negar que debía mejorarse. Estuve de acuerdo y le agradecí por sacar el tema. Luego, oramos juntos a Dios para que nos ayudara a hacer del crecimiento espiritual de nuestros hijos una prioridad.

La actitud y el enfoque de una mujer pueden determinar la forma en que se recibirá lo que diga o haga y los resultados que obtenga.

Cuando las esposas nos comportamos como la Sra. (Siempre) Perfecta, nuestra rebelión y búsqueda del control solo sirven para alejar a nuestros esposos e interrumpir las conexiones que anhelamos tener con ellos. Por otra parte, la sumisión hecha en amor atraerá sus corazones más cerca de nosotras.

El ejercicio de la mejor forma de control

Si no quieres apagar la llama en el corazón de tu esposo al aparecer como la Sra. (Siempre) Perfecta, utiliza los siguientes principios para que te ayuden a ejercitar la forma de control más constructiva: *el autocontrol*.

* *No des por sentado lo que está bien y lo que está mal.* Si él aborda una tarea de una manera distinta a como lo harías tú, no supongas que tu manera es la adecuada y la suya es la inadecuada. Conserva un corazón enseñable y fíjate si hay algo que puedes aprender de su manera de hacer las cosas.

* *Concéntrate en la meta apropiada.* La meta no es la perfección ni es hacer las cosas a tu manera; la meta es trabajar como un equipo en el que se mantiene la unidad entre los compañeros. Sin dudas, las cosas hay que hacerlas, pero no a expensas de la armonía en tu relación.

* *Acepta el no como respuesta.* Si quieres que él lidere, debes seguirlo. Si no está liderando como quieres, no protestes. Por eso la Escritura dice: «Gotera continua en día de lluvia y mujer rencillosa, son semejantes» (Proverbios 27:15, LBLA). Al aceptar el no como respuesta, le mostrarás respeto, y te sorprenderás al ver con cuánta mayor frecuencia obtendrás un sí.

✳ *Muestra tu desacuerdo de manera agradable.* En las situaciones en que no puedas ver en sí las cosas de la misma manera, aprende a mostrar tu desacuerdo sin ataques personales ni manipulaciones. Debemos escoger nuestras batallas. Antes de armar un gran alboroto por algo e insistir en que se hagan las cosas a tu modo, pregúntate: «¿Estoy dispuesta a dejar mi vida por *esto*?». Si el asunto es muy serio, piensa en buscar ayuda profesional o alguna clase de mediación para que los ayude a resolver el problema sin perder la integridad de la relación.

✳ *Pon el problema en oración.* En lugar de manipular, argumentar o tratar de controlar, solo ora y pídele a Dios que te ayude a ver el problema con claridad y a buscar su dirección en cuanto a cómo deberían proseguir con más conversaciones. Recuerda, es probable que no estés considerando todos los hechos. Pídele a Dios que te ayude a ver el panorama general y el papel que Él quiere que desempeñes.

✳ *No juegues la carta de Dios.* Si Dios puede poner algo en tu corazón, también puede ponerlo en el de tu esposo. En lugar de decirle que debería hacer algo porque Dios te lo dijo a ti (no a él), pídele que ore más acerca de un asunto antes de tomar una decisión final y que, en definitiva, te someterás a lo que él piense que es adecuado.

✳ *Elogia en lugar de criticar.* Existe una gran diferencia entre criticar y ofrecer aprobación o comentarios constructivos. Ten en mente el enfoque de la galletita Oreo: un elogio seguido por un comentario constructivo como relleno y, luego, otro elogio. Por ejemplo, puedes decir: «Valoro mucho la manera en que prestas ayuda en la casa cuando te lo pido. En el futuro, fíjate que este paño para sacudir el polvo da mejores resultados que el que usas, pero hiciste un gran trabajo y te amo por eso».

El deseo de tener el control puede ser un impulso constructivo en tareas como mantener el orden en la casa, llevar las cuentas y hacer malabarismos con los horarios de varios hijos. Aun así, el uso más constructivo de la tendencia de la mujer a tratar de controlar es dirigir esas energías hacia dentro y no hacia fuera.

No podemos controlar a los demás. Sin embargo, podemos ser muy eficientes controlándonos a nosotras mismas y manteniendo relaciones pacíficas. Tal vez desees que tu esposo piense de un modo más parecido al tuyo o que sea más semejante a ti en ciertos aspectos. Los deslices de su personalidad te pueden frustrar. Tal vez desees armarle una bronca por no hacer algo cuando pensabas o como pensabas que debía hacerse. Con todo, trata de morderte la lengua en su lugar. Controla tu mal genio antes de que este te controle a ti. Espera hasta que estés lo bastante calmada como para discutir la cuestión sin una emoción negativa elevada. Luego, se pueden discutir las soluciones con un corazón que sigue siendo tierno. Entonces, como resultado, seguirás siendo la Sra. Perfecta ante sus ojos.

CUARTA PARTE

enciende su llama de nuevo

11

lo que los hombres más desean (de verdad)

¿Piensas que sabes lo que más desean los hombres de verdad? En realidad, tendrías una sorpresa agradable si lo descubrieras. Te daré una pista. Este deseo profundo se expresó en las palabras de una canción popular de hace muchos años.

No, no me refiero a la canción de George Michaels «Quiero el sexo que me das». Aunque, sin lugar a dudas, los hombres desean la relación sexual, no es lo que la mayoría expresa como su deseo número uno. Tampoco estoy pensando en «R-E-S-P-E-T-O», de Aretha Franklin. Sin duda, ese también es el deseo de todo hombre, pero sigue sin ser el número uno. De acuerdo con las respuestas de muchos de los hombres entrevistados para este libro, la letra de esta canción de James Taylor «Tu rostro sonriente» refleja lo que más desean: *«Cada vez que veo tu rostro sonriente, yo también tengo que sonreír».*

El mayor deseo de tu esposo no gira en torno a la relación sexual, los deportes, los sándwiches, algún programa de televisión, ni el éxito, sino que tiene que ver con poner una sonrisa en tu rostro.

Lo que ve en tu sonrisa

Le he pedido a Greg que me diga por qué esto es así, al menos desde el punto de vista masculino:

> Hace algunos años, Shannon me preguntó qué era lo que más me atraía de ella cuando éramos novios. Recuerdo que pensé en lo hermosa que se veía la noche en que nos conocimos, mientras jugábamos al *twister* en una reunión recreativa para los jóvenes de la iglesia. Al comenzar a pasar cada vez más tiempo juntos, disfrutaba de su personalidad extravertida y amante de las diversiones. Me encantaba la manera en que venía de un salto a mi lado y comenzaba a ofrecerse como voluntaria en el grupo de jóvenes de nuestra iglesia. Tenía un rostro hermoso, un cuerpo hermoso, una personalidad hermosa y un espíritu hermoso, pero ninguna de estas cosas eran las que *más* me atraían. Lo que más me atraía era que Shannon siempre estaba feliz cuando yo andaba cerca (y más o menos triste cada vez que debíamos estar separados). Su sonrisa me hacía sentir muy bien conmigo mismo y con mi capacidad para hacer feliz a una mujer como ella.
>
> Si no me crees, piénsalo. Finge por un momento que conoces a un muchacho que es todo lo que podías pedir, hermoso por dentro y por fuera, pero si su presencia te intimida o te sientes incómoda a su lado, lo más probable es que no desees pasar cada momento de tu vida junto a él. Todos queremos estar al lado de alguien que nos haga sentir bien con nosotros mismos; así es la naturaleza humana.
>
> Por supuesto, hubo momentos en los primeros años de matrimonio y de paternidad en los que la felicidad de Shannon se desvaneció hasta convertirse en desilusión y, con el tiempo, en una profunda depresión. No es una coincidencia que durante esos años yo luchara por sentirme bien conmigo mismo. La autoestima de un hombre se alimenta de lo buen esposo, padre, proveedor, amigo y amante que es. Cuando no alcanzamos el objetivo y vemos

la desilusión en el rostro de nuestra esposa como resultado, es como mirarse al espejo y ver al perdedor que siempre hemos temido ser.

Cuando tu esposo te mira, ¿qué ve casi siempre en tu rostro? ¿La mayoría de las veces ve una sonrisa o un ceño fruncido cuando están juntos? ¿Ve en tus ojos ternura o distancia y desilusión? De acuerdo con lo que ve, ¿cómo crees que se siente con respecto a sí mismo?

Tienes el poder para transformar lo negativo

Tal vez, mientras lees este capítulo, pienses: *Sería feliz si mi esposo fuera un poco más* _____ (llena el espacio en blanco). Sin embargo, tu felicidad no tiene que depender de las circunstancias. En su libro *Cómo cultivar buenas actitudes,* Robert Schuller cuenta acerca de un hombre notable cuya vida es un testimonio potente de que la felicidad es una decisión:

> El Dr. Viktor Frankl, un eminente siquiatra y autor del famoso libro *El hombre en busca de sentido,* es un ejemplo viviente de tener una actitud que decide ser feliz.
>
> Al Dr. Frankl, que es judío, los nazis lo tuvieron preso durante la Segunda Guerra Mundial. Su esposa, sus hijos y sus padres murieron todos en el Holocausto.
>
> La Gestapo lo tomó e hizo que se desvistiera. Quedó allí desnudo por completo. Sin embargo, se dieron cuenta de que aún tenía puesto su anillo de boda. Al quitarle incluso eso, él se dijo: «Pueden quitarme a mi esposa, pueden quitarme a mis hijos, pueden arrancarme la ropa y la libertad, pero hay una cosa que nadie puede quitarme *jamás*: la libertad que tengo para decidir cómo reaccionaré ante lo que me sucede»[1].

Tiempo después, el Dr. Frankl usó sus experiencias para realizar muchos escritos y conferencias, así como una forma de consejería (llamada la logoterapia) que ha ayudado a miles de personas a hacerle frente a lo que les depara la vida.

De seguro que la felicidad es una decisión, y estar feliz solo puede ser una cuestión de sonreír más a menudo. Es más, algunos estudios indican que nuestras expresiones faciales no son tanto un reflejo de nuestros sentimientos, sino que nuestros sentimientos son en gran medida un reflejo de la expresión facial que tenemos[2]. He experimentado con esta teoría y da resultado. Cuanto más sonrío, más feliz me siento. Tenemos la libertad de escoger tanto nuestras expresiones faciales como nuestras actitudes en cualquier situación dada.

Cuando optamos por las actitudes negativas, irradiamos sentimientos negativos y también podemos esperar ser los receptores de semejante negatividad. Cuando escogemos actitudes positivas, irradiamos sentimientos positivos y recibiremos lo mismo de los demás. Te mostraré cómo actúa esto. Digamos que tu esposo se dedica a las ventas y su empleo requiere que viaje dos semanas al mes. ¿Cómo decidirás responder? Puedes concentrarte en el lado malo y quejarte porque tienes que llevar la carga de manejar la casa sin él. Además, cada vez que te llame mientras esté de viaje, puedes contarle todos los problemas con los que tienes que lidiar y que no sabes cuánto tiempo más podrás soportar el estrés de sus viajes.

O puedes decidir ser feliz. Puedes profundizar el amor y la valoración que siente por ti al despedirlo con una sonrisa en el rostro, a la vez que le dices que entiendes lo difícil que le resulta trabajar tanto y que estás orgullosa de que sea tan buen vendedor. Cuando regresa a casa de un viaje, podrías hacer algo especial para celebrar su regreso: prepararle su comida y su postre favoritos, o conseguir una niñera y salir los dos solos. Estas son las cosas que harán que sienta deseos de regresar a casa y de quedarse el mayor tiempo posible.

Hace poco, una amiga nuestra se enfrentó a un gran desafío matrimonial con la actitud de sonreír y sacar lo mejor de la situación. El esposo de Jill y un pequeño grupo de trabajadores debían renovar todo el edificio de un hotel, con la presión que debían hacerlo en pocas semanas. Cuando le dijo: «Tendré que trabajar hasta tarde la mayoría de las noches y muchos fines de semana durante algún tiempo», ella tenía dos alternativas: podía ponerse molesta ante esta situación (lo cual no hubiera cambiado lo que se requería de su esposo), o podía hacer todo lo posible para que las cosas le resultaran más fáciles a él.

Por fortuna, Jill escogió esta última. Se puso su ropa de trabajo y, muchas noches, fue a trabajar a su lado, tan solo para poder estar juntos. Otras noches, preparaba comida y se la llevaba, a fin de poder disfrutar juntos del receso para la cena. En lugar de quejarse, fue una continua fuente de aliento. Cuando terminó el proyecto, los dos tenían la misma sensación de haberlo logrado, y valoraron mucho más el regreso a las noches libres y a los fines de semana juntos.

Tal vez no puedas acompañar a tu esposo en su centro de trabajo ni puedas llegar a estos extremos para estar a su lado cada vez que sea posible, pero lo importante es que entiendas cuál debe ser la actitud. Mientras más te esfuerces para que tu esposo se sienta bien consigo mismo (y con sus responsabilidades), mejor se sentirán ambos en cuanto a su relación.

Seamos una fuente de fortaleza y de alegría para nuestros esposos. Decidamos ser felices, sin importar cuáles sean las circunstancias de la vida. Comprendo que es más que posible que tu esposo tenga algunas aristas ásperas que, algunas veces, pueden hacer que la «felicidad» sea un desafío. El mío las tiene. Aun así, yo también tengo aristas ásperas, y apuesto a que tú las tienes también. Lo cierto es que todos las tenemos. Sin embargo, no podemos esperar hasta que las aristas ásperas de todos se suavicen para poder gozar de la felicidad. Debemos elegir la felicidad ahora, no solo por nosotras, sino por nuestros esposos y nuestros hijos en especial. Piensa en este pasaje de *Cómo cuidar y tener contento al esposo*:

> Cuando se trata del hogar y las relaciones, las mujeres mandamos. Nuestra responsabilidad es dirigir con sabiduría y amor. Si una mujer no se casa con un antisocial o un narcisista, tiene un «paquete masculino» básico. Y tu hombre básico es una criatura decente con deseos simples: ser el héroe de su esposa, ser su amante soñado, ser el protector y proveedor de su familia, ser respetado, admirado y valorado. Los hombres viven para hacer felices a sus mujeres.
>
> Lo peor que le puede hacer una mujer a su esposo es nunca estar feliz. Además, no lo olvides, estar feliz es más una actitud que una realidad. Cuando las cosas salen mal, cuando hay problemas y desafíos, desilusiones y desastres, es evidente que la felicidad se verá socavada. Sin embargo, cuando miramos ese pedacito de cielo que se abre por

donde brilla el sol, es un día encantador. Y se convierte en un día encantador para todos los que tocas[3].

Tú, más que ningún otro, tienes el poder de determinar cómo será el día de tu esposo. Tal vez te ayude sentarte y hacer una lista lo más larga posible de cosas por las que puedes estar feliz. Incluso, cuando estoy más deprimida, siempre puedo recitar una larga lista de bendiciones que Dios me ha otorgado, como la salvación, el matrimonio, mis hijos, la buena salud, una familia extendida amorosa, amigos grandiosos, oportunidades para el ministerio, sanidad de mi pasado, seguridad para el día de hoy, esperanza para mañana, etc.

¿Qué me dices de ti? ¿Cuántas cosas puedes poner en tu lista que te vengan a la mente sin pensarlo mucho? ¿Las suficientes como para bendecir a tu esposo con una sonrisa y una cálida mirada de contentamiento?

No hay momento como el presente

Se dice que el mejor momento para plantar un árbol es hace veinte años, pero el segundo mejor momento es hoy. Lo mismo sucede con la decisión de ser felices en nuestros matrimonios. Es una decisión que todos hubiéramos deseado tomar desde el primer día; pero aunque no lo hayamos hecho entonces, el segundo mejor momento es ahora.

Si estás lista para darle a tu esposo lo que más desea, tómate un momento para silbar la conocida tonada de Bobby McFerrin: «*Don't Worry, Be Happy*» [No te preocupes, sé feliz]. Luego, no solo la silbes, pon en práctica la letra frente a tu esposo y entonces, ¡él también será feliz!

r-e-s-p-e-t-o

Quedé sorprendida cuando nuestro hijo de diez años, Matthew, entró en la habitación mientras yo escribía este capítulo y dijo:

—Mamá, terminé la tarea. Teníamos que escribir las palabras exactas que desearíamos que la gente lea en nuestra lápida algún día.

Cuando le pregunté qué escribió, respondió:

—"Matthew Thomas Ethridge: Un respetado hombre de Dios".

—¿Qué te parece si pusieras " Un *amado* hombre de Dios"? —le pregunté por pura curiosidad.

—No, quiero que diga *respetado* —me respondió.

Aunque todavía es un niño, mi hijo expresaba el mismo deseo profundo de respeto que he oído una vez tras otra de boca de hombres de todas las edades. Es triste que muchos se sientan como un cero a la izquierda cuando están cerca de sus esposas. Piensa en estos comentarios:

* «Detesto cuando mi esposa habla de mí como si fuera uno de los niños, en lugar de ser el hombre de la casa. Es humillante y exasperante».

* «No me importa que me hagan bromas de vez en cuando, pero siempre que mi esposa las hace frente a mis amigos

o compañeros de trabajo, me muero de vergüenza. Me pone muy molesto que diga a boca de jarro todos mis defectos, frente a todo el mundo, sin tener en cuenta mis sentimientos ni los efectos que sus comentarios podrían tener sobre las opiniones de otros».

✳ «Me gusta que mi esposa sea una pensadora independiente y que tenga sus propios puntos de vista. No me gustaría que eso cambiara. Sin embargo, muchas veces me parece que *nunca* está de acuerdo con nada de lo que digo. Si digo: "¡Es muy lindo que el cielo esté despejado!", dice: "¿A qué te refieres con cielos despejados? ¿No ves que hay una nube?". Para colmo, su tono de voz hace pensar que debo ser un completo idiota. Quiero que sea ella misma, pero también quiero que valore mi punto de vista acerca de las cosas. ¿Es demasiado que un esposo pida esto de su esposa?»

No lo creo, ni tampoco lo cree Shaunti Feldhahn, autora de *Solo para mujeres*. Está de acuerdo en que el respeto es una necesidad importantísima entre los hombres. Realizó cientos de entrevistas personales y escritas, cuyos resultados revelan que los hombres tienen una verdadera lucha interna en este sentido. Feldhahn escribe:

> Aunque sea algo extraño por completo para la mayoría de nosotras, la necesidad masculina de respeto y reconocimiento, en especial de su mujer, es algo tan arraigado y tan crítico que casi todos los hombres preferirían sentir que no los aman antes que sentirse incompetentes y que no los respetan [...]
>
> *Si un hombre no se siente respetado, sentirá que no lo aman.* Y eso se traduce así: Si deseas amar a tu hombre como *él* necesita que le amen, debes asegurarte que percibe tu respeto por sobre todas las cosas[1].

Si tu esposo siente que no lo respetas, no habrá manera en que puedas encender el gozo en su corazón.

¿Qué puntuación te asigna su medidor de respeto?

El diccionario Webster define *respetar* como «considerar digno de suma veneración». El libro de Efesios, donde el respeto hacia nuestros esposos es un mandato bíblico (lee 5:33), la palabra griega que Pablo usa para «respetar» es *phobeo,* que quiere decir «respeto reverencial» o «veneración»[2]. ¿Consideras que tu esposo es digno de suma veneración? ¿Te inspira respeto reverencial? ¿Tomas la decisión de venerarlo?

Si, de verdad, quieres saber la verdad acerca de cómo te va en este aspecto, pregúntale a tu esposo. Varias veces, durante el proceso de escritura, Greg me pedía que incluyera en este libro un principio que le parecía importante que comprendieran las esposas. Casi siempre, mi respuesta era: «¡Ah! ¡Eso es bueno! ¿Lo he hecho (o no) en el pasado?». Por lo general, solo sonreía levantando un tanto las cejas, como para decir: «¿Cómo crees que aprendí que esto es importante para los hombres?». Sospecho que si Greg y yo no hubiéramos escrito juntos este libro, es probable que nunca me hubiera dado cuenta de que aunque lo respeto, algunas veces hago y digo cosas que no lo hacen sentir respetado. Mi voz se vuelve irritable o lo fulmino con la mirada como respuesta a algo que dice. También puedo hacer algo que no le gusta, como esparcir uno de mis proyectos sobre su escritorio y dejarlo allí, de modo que tenga que retirar mis cosas antes de poder comenzar a trabajar en su territorio sagrado. En algunas ocasiones, me he sobrepasado explicándole algo, entrando en muchos más detalles de los necesarios acerca de cosas como lo que puede preparar para la cena. Su rostro adquiere un cierto aspecto que me dice: «Bueno, suficientes detalles, Shannon. Soy un hombre grande y pienso que, con esta información, ya es suficiente».

¿Cuál es otra manera infalible en que una esposa puede determinar qué puntuación le asigna el medidor de su esposo? Shaunti Feldhahn sigue adelante y hace esta reflexión sobre cómo podemos decir si hemos hecho algo como para que nuestros esposos no se sientan respetados:

> Entonces, ¿cómo saber si hemos traspasado la línea del respeto? Gracias a Dios, contamos con un barómetro sencillo: Control del enojo [...]

Puedes estar segura de que si está enojado por algo que dijiste o hiciste y no comprendes la causa, hay buenas posibilidades de que esté sintiendo el dolor o la humillación de tu falta de respeto [...]

Advierte que uno de los principales pasajes bíblicos sobre el matrimonio, en Efesios 5, jamás dice que la esposa ame a su esposo, ni tampoco dice que el esposo respete a su esposa (es de suponer que se deba a que cada uno ya tiende a dar lo que desea recibir). En cambio, una y otra vez exhorta al esposo a que *ame* a su esposa y exhorta a la esposa a que *respete* a su esposo y su liderazgo. Las mujeres con frecuencia tendemos a querer controlar las cosas, lo que por desgracia los hombres interpretan como falta de respeto y desconfianza (lo cual, si somos sinceras con nosotras mismas, a veces, *es* así)[3].

En realidad, es desafortunado que a veces, cuando nos decimos que estamos tratando de ayudar, lo que en realidad hacemos es tratar de tomar el control y «mejorar» a nuestros esposos. Aunque podamos decirnos que solo intentamos sacar lo mejor de ellos, nuestros esfuerzos por «mejorarlos» envían un mensaje de rechazo.

Si una esposa desea satisfacer la necesidad de respeto que tiene su esposo, hay dos cosas que son esenciales: debe aceptarlo tal como es y debe escoger sus palabras con sabiduría.

Acéptalo tal como es

La intimidad es riesgosa. Con el tiempo, a medida que los esposos se muestran entre sí tal como son, ambos esperan que el otro los ame y los acepte de manera incondicional. Si ambos se sienten aceptados y amados, es común que se produzca la unidad emocional, espiritual y física. Entonces, si uno de los cónyuges no se siente aceptado ni amado, se retraerá, lo que traerá como resultado el distanciamiento emocional, espiritual y físico. Para tener la libertad de franquearnos y ser nosotros mismos en cualquier relación, antes debemos sentirnos seguros. Si no nos sentimos seguros, lo más probable es que nos encerremos en nosotros mismos, en lugar de arriesgarnos a tratar de